# LE POSSÉDÉ

## CAMILLE LEMONNIER

Edition : Culturea (culurea.fr), 34 Hérault
Contact : infos@culturea.fr
Impression : BOD, Norderstedt (Allemagne)
ISBN : 9791041972067
Date de publication : juillet 2023
Mise en page et maquettage : https://reedsy.com/
Cet ouvrage a été composé avec la police Bauer Bodoni

## LE POSSÉDÉ

.....l'obsession morne d'une contrée sans espoir, avec un déferlement de névés toujours plus loin. Et seulement, par dessus l'horreur du vide, un pic, comme une désolation plus haute, s'entourait d'un passage d'opaques et gélatineuses nuées sécrétées par l'ennui des cieux.

Rien, en ses lectures ni en son mode de vie, ne justifiait cette persistance de l'atterrant paysage; aucun souvenir non plus ne commémorait le legs d'un antérieur et polaire voyage. Le président Lépervié, foncièrement cagnard, d'ailleurs répugnait au tracas des périples. Sans récurrences, la nostalgique amertume de cette vision semblait d'autant plus extraordinaire.

En même temps, une mort partielle de proche en proche le rigidifiait; des glaçons charriaient en ses membres la paralysie; et toutefois, il subissait la contradiction de vivre à travers le remords de son être aboli.

Il s'imposa successivement les reins, l'épigastre, la nuque, sans qu'un indice certain s'en inférât.—Non, s'avoua-t-il presque consterné, la souffrance ne vient pas de là. Et pourtant je suis malade. Depuis deux jours, tout m'affecte. Deviendrais-je hypocondre?

Il se contraignit à un travail pénible, avança le bras pour s'emparer, par-dessus un amas de livres encombrant le bureau-ministre, d'une boîte d'allumettes suédoises. Mais, au moment d'allumer le carcel, il éprouva une telle lassitude de cette besogne inutile qu'il rejeta la boîte et se rentassa dans son fauteuil.—«Et pourtant il vaudrait mieux faire de la lumière, je ne verrais plus cet odieux pays de neige qui toujours s'interpose entre les réalités et moi.»

À présent des titillations violentes lui gratillaient la paume des mains et les plantaires. Ses filandres se boulaient en une pelote que quelqu'un tirait avec force. Puis de longues aiguilles lui perforèrent le cœur; la pelote s'y dévidait par les trous, nouant cet organe essentiel comme une volaille percée par le coquetier; et un arrachement atroce le suppliciait, des doigts fouillaient les cavernes de sa poitrine, afin d'en extraire le cœur qui d'abord résistait.

Il s'étonna de n'éprouver aucun désordre tandis qu'enfin ce cœur s'en allait. Son corps, au contraire, brusquement s'allégeait comme si la source de toutes afflictions, le principe de toutes adversités, l'unique facteur des peines sans nombre qui ravagent la race adamique, du même coup s'anéantissait.—«Il est donc avéré, pensa-t-il, que, le cœur en moins, l'humanité vivrait en paix sur le fumier de ses instincts. La damnation sous laquelle nous pantelons procède de son intervention malévole dans les choses de cette vie et de l'éternel leurre qu'il complote contre le parfait bonheur des certitudes.» Ce commentaire sembla corroboré par les subites et inexprimables délices d'une absolue quiétude. En cette approche de la béatitude, le souvenir d'une grande douleur traversée ne s'était pas effacé entièrement, mais, très lointain et émoussé, persistait comme un adjuvant aux blandices dans lesquelles son essence se volatilisait.—Oui, c'est le paradis, songea-t-il. Il n'y a rien au delà d'une semblable sensation.

Cependant une créature sans visage portait son cœur dans ses mains et marchait à travers un pays illimité, sous la rancune plombée des cieux. À mesure, ce conoïde, si longtemps annexé à sa chair, assumait aussi une forme humaine; et tous deux à la fin incédaient côte à côte, ayant la même taille, pareillement dénués de visage. Il reconnut la contrée sans espoir, avec le déferlement des névés toujours plus loin; et ni l'un ni l'autre ne cessaient d'y avancer. Mais l'actuelle morphose de son cœur saignait sur la désolation des neiges une pluie de larmes rouges qui, tout de suite après, s'étoilaient en fleurs merveilleuses; et son compagnon se baissait, les récoltait, en serrait de larges gerbes dans ses bras. À deux, ils gravirent le pic solitaire, debout dans la consternation de l'universelle mort; et quand ils furent arrivés au sommet, son cœur primordial se mua en un volcan qui, sous l'ennui des cieux vides, projetait les feux ardents d'un érébus, avec des laves et des suies.

Le pic, d'ailleurs, avait résigné son dessin initial: il ressemblait maintenant à un nez démesurément profilé dans un bouillonnement de mucosités grasses et fluentes, une mer laiteuse dont les lourdes oscillations tout à coup se déchirèrent sous les déflagrations réitérées d'un tonnerre.

—Est-ce que je rêvais? se demanda le président en éternuant avec violence. En tout cas voilà bien l'explication de ce malaise singulier. À l'audience d'avant-hier un froid toute une heure, par le ventilateur, m'a soufflé sur la tête. Pourquoi diable aussi ne pas utiliser les systèmes nouveaux?

Coup sur coup les assauts d'un ouragan interne l'ébranlèrent, les yeux gonflés de larmes, d'atroces fourmillements dans la paroi nasale, les angles du front martelés par un tenace maillet; et enfin, entre deux explosions, il put trouver la force de gratter l'émeri du bout d'une allumette. Une clarté irradia à travers la chambre: il alla se regarder dans une glace. J'en ai pour huit jours, se dit-il, à m'accommoder de ce visage spongieux et faisandé. Puis, comme on sonnait le souper, il descendit à la salle à manger, le col de son veston relevé dans la nuque.

Un abattement affligé signala le lendemain les ravages déjà profonds de ce catarrhe imbécile. C'étaient, du reste, les stades habituels; ses pulpes cervicales brusquement refluaient vers l'issue des fosses nasales qu'elles obturaient; il percevait alors nettement la pesée très lourde d'une boule d'hydrargyre dans l'épisphérie. Ce poids circulait d'abord entre les pariétaux, puis s'immobilisait sous la bosse de la mémoire des choses, parmi les deux sourcils; et il put se comparer à la cuvette d'un baromètre, avec le pesant glissement de la larme mercurielle le long du tube de verre. La blessure des émonctoires, en outre, l'irritait d'un chatouillement intolérable, comme si une barbe de plume en frôlait malignement les vibrisses.

Tout à coup, du fond des ventricules, se révélaient les symptômes annonciateurs de la crise. Celle-ci éclatait avec la violence d'un typhon, déchirant les amas de lymphes en suspens; un ouragan lui dévastait les cavités de la tête; les pommettes en feu, la bouche écarquée, les paupières tiraillées et battues, il attendait l'éruptif retour des éternûments qui se succédaient, comme des décharges de gaz, parmi une explosion de glus saumâtres et visqueuses, projetées en tous sens. Pour un instant la boule de mercure cessait de l'oppresser: sa cervelle, à présent liquéfiée, semblait se diluer en des sérosités qui lui arrosaient le sinus labial et longuement larmaient en roupieuses stalagtites à la pointe du nez.

Une dépression en résulta du côté de l'intelligence. Il ne parvenait plus à abouter deux idées. À l'audience, il révéla d'étonnants aspects; quelquefois ses phrases se scindaient de pauses pendant lesquelles, le torse soubresautant, il était obligé d'attendre la résolution de l'accès. Celui-ci passé, il compromettait sa gravité en des nasillements, aigus comme des hennissements, et qui ensuite s'enflaient en ronflements de faux-bourdon, le navrant lui-même d'une impression de grosse mouche bombynant dans son nez, comme une guêpe dans un cornet de papier.

Le président put enfin rentrer chez lui; ce fut comme un bien-être momentané de délivrance. Il s'attarda une demi-heure chez sa femme, écroulée en une chaise longue. Puis miss Rakma, l'institutrice, ramena Paule de la promenade, et il se surprit à leur débiter à toutes trois des propos niais, sans nécessité. La conscience qu'il versait dans la puérilité ensuite redoubla son humeur noire; il vitupéra, en une sortie véhémente et injustifiée, contre la cuisinière, sous prétexte qu'elle empuantissait l'escalier d'oing brûlé.

—Mais, papa, s'exclama Paule en riant, ce n'est qu'une idée. Je te jure qu'il n'y a pas la moindre odeur.

De son côté, M^me^ Lépervié protesta doucement:

—C'est la faute à ton rhume, mon ami.

Alors il se fâcha tout à fait: son rhume, eh bien, quoi? ne l'idiotisait pas au point d'annihiler en lui le sens. Il était étonnant qu'on le retorquât toujours quand il se risquait à une observation.

—Voyons, vous,—et il se tourna vers Rakma qui, à demi engagée entre le battant et le chambranle de la porte, levait les épaules, indifférente, sans lui répondre.

Ce désistement le mortifia. Il haussa les épaules à son tour et ensuite, par amour-propre, se détendit dans un rire forcé, en attirant Paule entre ses genoux:

—Venez ici, petite fille, et dites à votre méchant homme de père qu'on a toujours tort de gronder ceux qu'on aime...

Dans son cabinet,—une petite pièce qui ouvrait sur le palier de l'entre-sol et s'ajourait par une large verrière du côté du jardin,—son accablement le reprit: il se reprochait cette scène de mauvais goût et en même temps regretta son issue pitoyable. Une colère mieux obéie eût fourni un exutoire à l'humeur acide où il se macérait sans autre cause apparente que son coryza. Au contraire, il avait accepté bénévolement sa défaite; même cette Rakma, en s'esquichant, récusait son prestige de magistrat et de chef de famille.

Sa tête de plus en plus se réduisait en bouillie; c'était au dedans comme le vacillement d'une gélatine, la désagrégation d'un mou de veau trop échaudé. Il voyait sa cervelle à l'état d'une vague compote blanchâtre de matières dissoutes et larveuses. Alors il espéra pouvoir s'oublier en lisant: il ouvrit un tome de la Pasicrysie, se pencha dessus comme pour s'y incorporer. Mais au bout de peu d'instants, sa pensée distraite s'évapora en la supputation d'une fortune que l'avarie d'un parent riche pouvait à bref délai leur susciter. Le malade, il est vrai, s'éternisait; toujours il lui avait témoigné des sentiments affectueux; et une rancune le révolta contre son inqualifiable persistance à vivre.—Voilà que je souhaite la mort d'un honnête homme, se dit-il, indigné.

Il ferma le tome brusquement et s'excita à absorber une tranche de littérature émolliente. Mais la nauséeuse décoction morale qu'il découvrit dans un roman de Conscience lui rendit au bout de peu de temps ce travail insipide. D'ailleurs, la fadeur d'une telle élucubration n'allait pas à son goût des écritures carrées, invétéré par l'habitude des casuistiques juridiques. Il se complaisait aux bons auteurs, de Montaigne à Montesquieu et à d'Aguesseau, et, sans les mépriser, ne dissimulait pas son indigence d'admiration pour les lettrés modernes, trop débraillés. Jugeant que toute tentative pour se récupérer demeurerait vaine, le président alors se relâcha à une déperdition croissante de sa volonté, déambulant par la chambre, grimpant sur un escabeau pour épousseter le rayon supérieur de sa bibliothèque, regardant obstinément devant lui un point de l'espace, sans voir. Il se sentait plein de dégoût pour sa robe, pour ses labeurs habituels, pour les bénignes douceurs de la vie de famille.

Par delà la fenêtre, aux vitres de laquelle il s'en venait appuyer son front, un hiver assombri de crépuscule s'illimitait. Depuis un mois sévissaient les frimas. Sous les incolores et rigides strates des neiges, les jardins ressemblaient à de larges meringues érigeant, comme un décor d'architectures pâtissières, des stèles givreuses, des coupoles micassées, une grêle forêt d'arbustes en sucre cristallisé.

Maintenant il s'avisait d'une occulte correspondance entre ces perspectives et le saturnien paysage qui le persécutait. Sans nul doute, un travail de suggestion s'était opéré, résorbant l'ennui des invariables ambiances dans cette vision répercutive. Par les canicules, celle-ci parallèlement eût affecté l'horreur sèche d'un sahara. Quelle ironie! pensait-il. Ainsi l'homme le plus grave serait toujours le jouet des circonstances spéciales dans lesquelles il est placé?

Un amas de nuées, dans une agonie de lumière, soudain pantela. Tout un pan du ciel furtivement s'élucida d'un bleu malade qui, ensuite, se vespérisait en des décroissances de nuances éteintes, en des deuils froids d'hépatites, d'hyacinthes et d'améthystes. Sur le vierge évanouissement de la terre, ce fut comme la mort anxieuse du jour éternisant après lui le regret de toute vie, et le jour lui-même, à l'occident, d'un rose de sang mal lavé, n'était plus qu'une blessure pâle par laquelle s'égouttait l'espace. Distinctement, dans le noctuaire éther, le président vit s'ouvrir, sous de nébuleuses paupières,*un grand œil triste.*

«Je l'aurai froissée, se dit-il, en se remémorant le haussement d'épaules de l'institutrice. Cette fille, après tout, a sa fierté, une fierté triste comme toutes les personnes au-dessus de leur condition. Elle me regardait de ce même œil affligé qui là-haut semble rêver dans la sévérité du ciel.»

«Mais c'est moi qui rêve, s'écria-t-il au bout d'un instant, il n'y a pas d'apparence qu'un autre homme s'ingénie à de pareilles idées. Certes, il faut que je sois bien malade.»

—Monsieur.....

Il se retourna, découragé.

Pareille à quelque grand oiseau pâle venu là et roulé à travers la verrière avec une des vagues de la houle crépusculaire,—il l'aperçut muette et rigide; ainsi même il l'aperçut comme si le soir, pour pénétrer dans la chambre, avait pris cette figure mystérieuse seulement illuminée à l'entour des yeux du reflet égaré des lointaines et tristes étoiles... Par le pouvoir obéi d'une incantation, elle semblait sortir du monde obscur où les formes du rêve sommeillent enchaînées en attendant qu'un criminel désir viole leur taciturnité et leur commande d'investir les apparences sensibles de la vie.

Le président, la première surprise passée, songea à formuler cette métaphysique en rabâchant le dicton: «Quand on parle du loup...» Mais la solennité de l'heure et, dans le soir, ce troublant visage soudainement surgi comme par la vertu d'un sortilège, refrénèrent son accès de bêtise sereine. Sur le sombre des fonds, dans le très confus reste de jour qui déjà n'était plus que de la ténèbre visible, sa tête dressait la pâleur d'une fleur de chair malsaine, d'une fleur germée sous de brûlantes aurores et des lunes fiévreuses. Elle était entrée sans qu'il l'eut entendue venir, aucun bruit n'avait trahi son passage dans cette atmosphère de songe où, épars, le nez collé à la vitre, toute répercussion du monde réel interrompue, il s'oubliait à contempler les dolentes splendeurs d'un déclin d'hivernale lumière.

Il pensa avec humeur que sans doute elle montait se plaindre du ton impérieux dont il avait eu l'air de la requérir. Un dépit aussitôt le prédisposa à se montrer intraitable. Du moment que les salariés témoignent une telle susceptibilité, la vie en commun, avec la familiarité des rapports quotidiens, n'est plus possible.

Mais elle demeurait sans voix, passive, imperméable, incrustant aux siens ses énigmatiques yeux, plus noirs que la nuit céleste, ses yeux comme des lampes sous les vitraux éteints, dans la paix morte des chapelles. Un ardent et magnétique regard en émanait, une chaleur de vie toujours cruellement comprimée et qui tout à coup dardait, en ce double foyer révélateur de la plus sombre volonté.

—Ce ne sont pas les yeux qu'elle avait tout à l'heure, songea Lépervié interdit, ce ne sont pas les yeux qu'elle avait autrefois.

—J'avoue, dit-il, oui, j'avoue que je parais avoir été un peu vif...

À peine ces mots émis, il sentit les torts graves qu'il s'octroyait. «Mais, pensa-t-il, ce n'est pas cela que je voulais dire. Voilà que je vais au-devant de ses reproches.» Le sang lui monta à la tête: il lui eût dit des injures.

—D'ailleurs, en voilà assez, je crois, énonça-t-il sur un ton bref qui la congédiait, en jouissant de la fermeté de cette parole.

Un mouvement enfin rompait sa noire immobilité sur la nuit plus épaisse.

—Je ne sais pas de quels torts vous voulez parler, protesta-t-elle négligemment. J'étais montée seulement dire à M. le président que quelqu'un en bas désirait lui parler.

—Ah! quelqu'un? Vraiment, quelqu'un me demande?

Sa voix avait perdu toute autorité; elle chevrotait péniblement sur un diapason insolite. La conscience de ce trouble phonétique le tourmentait encore que déjà la porte du cabinet s'était refermée sans bruit,—sans plus de bruit qu'en s'ouvrant,—sur les nocturnes lys (les noirs lys d'un soir au bord d'une eau morne), les lys des yeux de cette fille, reprise à son indifférence un peu hautaine et dédaigneuse.

Le président alluma une bougie. Il avait égaré parmi ses dossiers sa calotte.

—En effet, se confirma-t-il, en suspendant ses recherches, c'étaient là des yeux tout à fait extraordinaires... Des lampes en une chapelle... Des lys au bord du soir d'une eau... Ah! impératifs, commandant le renoncement à tout espoir... Prophétiques yeux au fond desquels s'érige l'appréhension des croix... Yeux chargés de la rancune des opprobres impardonnés... Yeux vengeurs de l'éternelle humiliation de la femme... Après tout, qu'importe? conclut-il. C'est une impertinente. Il y a une manière de regarder les gens qui les met dans leur tort.

Enfin il récupérait sa coiffure. Au parloir, un homme se jetait à ses pieds, et à travers des larmes, bégayait:

—Ah! monsieur, jamais je n'oublierai....

Un pauvre diable, le frère d'une des bonnes de la maison, qui surprenait une nuit sa femme avec un amant et la tuait. Lépervié, aux assises, visitait les principaux jurés et leur arrachait l'acquittement.

—Bien! bien! dit-il en riant; mais n'allez pas recommencer.

Un matin Lépervié s'éveilla, lénifié par les visions d'un songe folâtre. Il n'avait pas répudié l'ancestrale et honnête coutume du sommeil en commun dans l'ampleur du lit conjugal. Celui-ci, par ses dimensions exceptionnelles, mais que justifiait l'embonpoint maladif de Mme Lépervié, évoquait une très vaste berline de poste, où une famille aurait pu voyager à l'aise. Depuis bientôt dix-neuf ans, cette couche monumentale abritait leurs tendresses d'époux sans reproche, insensiblement dérivés, après une assez longue ferveur, vers une normale et quiète affection. Une sécurité mutuelle faisait le fond de leur vie.

D'abord le président ne se remémora que très imparfaitement les importunes sensations des jours antérieurs. Son lever s'effectua bénin, dans une paix d'esprit légère, sur laquelle influaient encore, à son insu, les illusions de ce rêve aimable, que malheureusement il avait oublié.—«Peut-être aussi, pensait-il, la maturité hâtive de mon coryza n'est-elle pas sans effet sur ces dispositions favorables.» Des inhalations résignées d'alcali, de réitérées fumigations de fleur de sureau, d'autres remèdes congruents avaient graduellement désagrégé les banquises de sérosités amoncelées dans la région de l'encéphale.

Mme Lépervié, généralement, demeurait couchée jusqu'à dix heures. Un peu redressée dans ses oreillers, elle déjeunait d'une tasse de chocolat; puis Paule et Guy, un instant s'attardaient à l'embrasser—(Guy prêt à partir pour ses cours),—et, ensuite, lentement, avec cette grâce de nonchaloir qui amollissait d'une ombre de regret tous ses mouvements, elle passait son peignoir et se résignait à la peine de traîner son corps.

Vers midi, Rakma, pendant que Paule, dans le cabinet voisin, recordait à mi-voix une leçon d'anglais ou d'allemand, entrait lui faire une lecture. Et de nouveau, les heures pesantes de l'après-midi l'accablaient, étendue sur le divan, les mains distraites par un travail de tapisserie, grignotant des pralines, écoutant un peu de lecture encore ou attentive à stimuler Paule qui, assise à un bout de la table, obtenait de finir sa journée d'études auprès d'elle. Malgré son apathie, un charme de distinction soulignait, en cette femme d'une bonté vraiment miséricordieuse, une âme sans fêlures, insoupçonneuse du mal, et comme la continue fraîcheur de cette virginité intérieure qui, chez les personnes éteintes au penser de la chair, résoud l'inquiétude des sens.

Matinal, Lépervié, lui, dépêchait dans son cabinet un sommaire repas, lisait ses journaux, décachetait sa correspondance, puis sa barbe faite, s'habillait et partait pour le Palais. Depuis trois ans, il présidait la Chambre des divorces; on appréciait ses mérites de magistrat intègre et ponctuel.

Un peu isolé entre ses assesseurs, ses mains très soignées en des manchettes à boutons d'or sortant des vastes manches noires retroussées de sa robe, la face large et légèrement rosée aux joues entre le frisottement des côtelettes comme nuées d'une fine cendre—et droit, enclin à la solennité, les plis de sa bouche grasse, diserte, mouillée de paroles, rappelant certaines bouches pulpeuses de prédicateurs,—il était admiré pour le port de son haut front, la netteté de la raie qui partageait ses cheveux châtain, lissés de cosmétique et avivés d'un frottis de teinture, la dignité grave de sa démarche à laquelle ne messeyait pas un moyen empâtement.

Ce matin-là, selon sa coutume, Lépervié appuya un amical baiser aux joues de Lydie, encore assoupie, endossa la robe de chambre quadrillée qui, même dans l'intimité, lui gardait, avec ses droites cassures allongées jusqu'aux pantoufles, un profil majestueux, et les cheveux rebroussés par un rapide coup de brosse, ouvrit la porte de la chambre à coucher pour gagner son cabinet. Mais, comme il descendait les premières marches, une longue et mince silhouette se détacha dans la clarté de l'escalier, une nuque d'or brun sous les noires torsades d'un épais chignon: c'était Rakma qui montait. Il s'effaça à demi pour la laisser passer, subitement inquiet à la pensée de ses étranges yeux, ressaisi, avec une rapidité foudroyante, par le souvenir de leurs orbes magnétiques. Mais déjà, sans débat, une curiosité pénible, comme elle le frôlait, lui faisait scruter l'ombre de ses profonds sourcils, préparé à subir la décharge des troublantes prunelles.

Le pâle visage glissa devant lui, sans un regard, hermétique, scellé dans sa froideur. Du bout des lèvres, respectueuse, elle avait seulement émis une excuse polie; et tandis qu'il s'attardait, à son insu, distrait par le rythme de ses hanches, elle s'éloignait, diminuait vers le haut.

Il pénétra dans son cabinet et tout à coup s'aperçut qu'il en repoussait la porte presque avec fracas. Il la rouvrit, un instant pensa à interpeller l'institutrice, mais de nouveau il s'enfermait, cette fois sans bruit, subitement honteux de cette précaution que rien ne motivait. Son attention à surveiller ses gestes surtout l'irritait.

—Après tout, se dit-il en se jetant dans son fauteuil, cette fille est sans intérêt pour moi. Peut-être simplement ai-je cru découvrir en ses yeux le reflet de suggestions latentes en moi ou venues d'ailleurs. (C'était un magistrat amoureux des paraphrases.)

Ce ne fut qu'au Palais, néanmoins, après avoir endossé sa robe, qu'il reconquit sa complète autonomie. Par la force de l'habitude, au moment précis d'investir sa présidence, il se composait une tête dont la symétrie, déblayée de tout alliage, concordait avec le froid appareil de la justice. Ses lèvres raidies, de lents regards récolligés sous la tombée des sourcils, il s'installait, après une suite de petites tapes sur la mèche gommée de son front. Ensuite, tandis que d'une main aux doigts en éventail, il aplanissait sur son pupitre les feuillets du rôle, les doigts de sa main libre étiraient, lissaient, lévigeaient les soies pâles de ses côtelettes en l'onction de caresses adonisiaques. Puis les deux mains se rapprochaient, allaient l'une vers l'autre (ainsi que des magistrats qui s'abordent), un instant s'entrecroisaient sous la carrure du menton, très blanches, un peu grasses, duvetées le long du métacarpe de frisons dorés. Surtout les jours de premières à sensation, devant une affluence choisie, Lépervié ne répugnait pas à un peu de l'apparat d'une posture de théâtre.

La banalité des causes appelées requit médiocrement l'intérêt du tribunal. Un ménage de domestiques d'abord, ulcéré par l'adultère de la femme, attesta la pourriture endémique des gens de maison, mêlés au libertinage des maîtres. Puis les sévices d'un ouvrier alcoolique sur sa femme visiblement talée de pochons ne laissèrent aucun doute quant à l'aménité des rapports de ce couple populacier. Et enfin il y eut une plaidoirie pathétique d'un jeune stagiaire, pour obtenir des juges la dissolution d'un mariage d'employés, ravagé par les violences de la femme, une virago qui, même sous l'œil sévère du président, continuait à obsécrer son pitoyable conjoint.

Presque toujours, les magistrats novices péniblement s'affectaient des ignominies que mettait à nu, comme d'incurables lèpres, la brutalité des enquêtes; ils en demeuraient pendant un temps offensés comme au contact d'une humanité impure, corrodée d'un amas de vices irréductibles. Mais par degrés, la nausée de cette clinique malpropre s'atténuait; l'ennui des longues audiences n'était plus stimulé par d'intimes révoltes; ils s'invétéraient dans une incuriosité maussade, l'âme racornie par l'universalité du mal. Ainsi en était-il advenu de Lépervié, sans que, toutefois, personne jamais eût insinué qu'il s'était endormi pendant les audiences, comme tôt ou tard s'y oubliaient ses collègues.

Chez lui, un soir, le front dans les mains sous la lampe, il s'interrogea. Ses humeurs malignes purgées avec le coryza, c'était comme une crise liquidée qui, maintenant, lui conférait des sensations fraîches. Jamais les baumes émollients de la famille ne l'avaient plus délicieusement saturé. Un anniversaire solennellement fêté, les quarante-deux ans de sa femme, le toucha jusqu'aux larmes. Lydie ne dissimulait pas son âge, heureuse de vieillir dans l'affection des siens. Lui-même, à table, devant ses enfants, professa qu'aucune douceur ne prévaut sur un acheminement au déclin, dans l'harmonie des mutuelles tendresses.

Après les crépusculaires stagnations du spleen, son idiocrasie s'aérisait au vent des impulsions légères et bénignes. Une mansuétude l'inclinait à des projets de bonnes œuvres, à une commisération pour les déshérités de la vie, à un moindre dédain pour les dépossédés de la supériorité intellectuelle et morale qui le grandissait si haut dans son estime. L'orgueil de soi et sa naturelle dérivation, la présomption d'une incurable infirmité de conscience chez autrui, ces incoercibles travers inhérents à la condition du magistrat, il les sentait s'atténuer dans la suggestion d'une humanité pitoyable, plus encore que criminelle.

—Oui, se confirma-t-il, me voilà bien, tout à fait bien à présent. Mon adynamie antérieure s'est résorbée dans cet actuel et parfait équilibre.

«Mais qu'a-t-elle donc à me dérober ainsi maintenant ses yeux? songea-t-il sans raison tout à coup, en s'aimantant encore une fois au magnétisme du regard de Rakma. Au contraire, les miens—c'est singulier—sont toujours sur le chemin de son étrange visage. Je les crois ailleurs et inopinément je constate qu'ils les mangent comme des ventouses.

En effet, dans ces moments, il ne croyait pas la regarder. Mais l'intrusion d'un autre homme dans sa peau, avec la curiosité sournoise d'une prunelle enchâssée dans la sienne, avait l'air de la fixer d'un œil plus subtil que son propre œil et où ensuite il s'en voulait de voir se réfléchir et se graver en une netteté d'intaille les aveux d'un sexe exotique et irrité. Même, il le reconnaissait, c'était, sans le vouloir, une persistance à la traquer dans cet effacement concerté de sa personne, la malice du chasseur s'entêtant dans le guet d'un gibier terré.

Il en venait, dans sa rêverie, à se tourmenter de la ressemblance de ces yeux de Rakma avec le souvenir d'autres yeux immémorialement connus et qui, éteints par l'éloignement, se rallumaient en le rappel de ce brûlant et noir orient de leurs pupilles. Des yeux, se persuada-t-il, qu'il me semble avoir vus à d'autres visages, mais où, en quels temps, en quelles rencontres?

Les paupières closes, c'était alors en sa mémoire de successives évocations de personnes, un tourbillon de visages se décomposant vertigineusement et ne suscitant nulle indication précise, une roue d'yeux de toutes les nuances gironnant pour se fondre invariablement dans un grand œil unique, cet œil de l'autre soir, impératif et triste. Au bout de cet effort, enfin se levait une évidence, le mystère d'une grande fille brune et flexible comme elle. Cette image passait dans sa vision, s'évoquait des ombres intérieures, légère, aérienne, réelle. Pourtant nul indice ne l'aidait à conjecturer où d'abord il l'avait aperçue. Une présence à la fois proche et fuyante la volatilisait à travers un lointain de flottantes nébulosités. Toujours il était sur le point de l'atteindre, parmi la dispersion de sa mémoire. Puis une ténèbre s'interposait, où encore une fois elle se reculait et n'était plus qu'un idéal fantôme.

—Ne serait-ce donc qu'un mirage? se dépita-t-il, repris à cette manie de soliloquer, qui lui était commune avec la race oratoire et les studieux penseurs de cabinet. Ou la portais-je en mon pressentiment, pure entéléchie, en attendant qu'elle prît un corps et se mût devant moi? Mais voilà que de nouveau je rouvre la porte à cette impressionnabilité nerveuse avec laquelle je croyais en avoir fini. Moi-même je l'irrite à plaisir en m'ingérant en d'oiseux examens de conscience.

Sans cause, l'ancienne aigreur brusquement reperça.

Un soir, comme il s'assurait des progrès de Paule en la questionnant sur une difficulté de grammaire, il s'emporta à propos de l'explication diffuse qu'elle lui fournit. Guy, les coudes sur la table, absorbait avec frénésie la stupéfiante odyssée d'un Jules Verne fraîchement couvé et plus mirobolant que toute la ponte antérieure du même auteur. M[me]Lépervié, mi-assoupie dans son fauteuil, bobinait de la laine à tapisser, abritée contre la clarté de la lampe par un écran. En l'alanguissement de soirée finissante qui silenciait la chambre, détona l'insolite acrimonie de sa sortie. Rakma, très calme, s'avança d'un pas.

—Je crois, monsieur, qu'en lui posant la question d'une autre manière...

Il l'interrompit sèchement:

—Pardon, je déteste cet enseignement de perroquet. Et se tournant vers sa fille:

—Voyons, mademoiselle, répondez.

Paule, interdite, taquinée par l'opiniâtreté paternelle, se tortilla avec une moue de dépit enfantile. Elle ne pourrait jamais, on ne lui avait pas appris cela.

—Mais que vous apprend-on donc alors?

Il partit de là pour blâmer l'abusif exercice de la mémoire, presque toujours au détriment de la réflexion. (Sortez l'enfant de la routine mnémonique, il ne sait plus rien, comme quelqu'un qui, dans une forêt, ne connaîtrait qu'un seul sentier). Une joie maligne d'humilier l'institutrice sous ses redondances oratoires, stimulait sa loquèle.

—Mon ami, intervint M^me^ Lépervié, Paule jusqu'à ce jour s'est toujours trouvée très bien des méthodes de son professeur. Je ne sais s'il serait profitable pour elle d'adopter un système différent.

Redressée en ses coussins, le buste tourné vers Lépervié, elle le considérait avec étonnement.

—Monsieur le président doit avoir raison... Sinon il ne se fût pas exprimé ainsi.

C'était Rakma qui doucement parlait, sans l'apparence d'une révolte. Il leva la tête, étonné, presque contrit de sa rudesse. Au-dessus de lui, dans le rose demi-jour tamisé par les crépons de la lampe, se mouvaient les lourdes et indéfinissables prunelles. Oui, songea-t-il, c'est bien là la douleur du grand œil mystérieux entrevu dans les nocturnes nuées.

Avec de sonores maillets, avec des poignards moelleux, ces yeux en lui enfonçaient le silence, le silence du mauvais gré pardonné. Il eût voulu parler, atténuer ses torts par un regret de bonne grâce. Il ne put trouver une parole; et tout ce soir (et les autres soirs, et les autres jours), il porta ce regard, comme un ver frétillant en sa chair, comme le mal vivant d'une chair cariée.

Des jours.

...Assoupis, nébuleux, lointains, les nostalgiques yeux,—les yeux dissimulateurs de la créature taciturne et close qui les portait entre ses tempes, comme de mélancoliques lampes voilées, maintenant, en s'appuyant aux siens, se dilataient, injonctifs, brûlants, pareils à de fixes soleils noirs en des cieux carburés.

Passagèrement, la foncière chasteté, en Lépervié, s'irrita contre leur sourde tyrannie. C'était encore l'émoi de la bonne conscience au diabolique éveil des titillations charnelles. Mais presque aussitôt une vanité persuasive exalta le plaisir d'avoir été exigé par la femme. Alors la lutte, jusque-là dispersée, résolument se concentra en cette misère de la chair éternellement vulnérable.

—Doucement, doucement, ce n'est pas après vingt ans d'intègres mœurs... J'ai des enfants à qui je dois le bon exemple; et Lydie m'est doublement sacrée.

Il constata bientôt l'inutilité de ce débat. Toujours ses yeux se projetaient au-devant de ceux de l'ennemie; il s'oubliait à les boire avec une ivresse froide, comme un breuvage notoirement empoisonné et qui, pourtant, requérait sa soif de gourmandes et périlleuses délices. Même par les rues, les funestes yeux l'accompagnaient, se miraient au regard des passantes, ouvraient dans sa pensée de profondes et soyeuses alcôves pour l'amour. Il en vint à suspecter très confusément—oh! rien qu'un soupçon, l'ombre d'un petit nuage traînant à terre,—la binarité de sa nature, constaté maintes fois chez autrui, au cours de ses investigations de magistrat.

—L'idée de la faute, ratiocinait-il, est comme un larron qui tenacement cherche à s'introduire dans la maison de l'âme. J'ai eu le tort (mais il est réparable) de laisser la porte ouverte à ce malveillant compagnon. Pour excuser cette faiblesse, il dévia vers la conjecture d'une part d'irresponsabilité atténuant le fléchissement de la volonté chez l'homme.

Sa bonne foi s'alarma.

La présomption d'une action latente et irréductible, s'exerçant au fond de l'être comme un agent secret de désordre, n'est, après tout, conclut-il, qu'une duperie au moyen de laquelle la mauvaise conscience donne des latitudes à la lâcheté. Arrière ces damnables paralogismes!

L'Œil circule dans sa vie intérieure,—œil obsessionnel et qui toujours plus avant descend aux troubles eaux de son désir,—œil nageant avec son regard, comme un lumineux poisson, par-dessus les limons soulevés de la concupiscence.

—Une grande fatigue peut-être, une lassitude de mon corps surmené domptera cet état d'impressivité aiguë et qui me dérobe la discipline de ma volonté.

Le président se contraignit à de laborieuses promenades qu'il acheminait par delà les banlieues. Il s'était plaint à sa femme de pesanteurs de tête; elle-même l'exhortait à expérimenter cette hygiène, toujours profitable aux travailleurs sédentaires. D'abord, l'air des campagnes, absorbé à pleins poumons, lui coula un bien-être indubitable. Par les vents et les grêles il errait, patrouillant dans les bourbiers, pataugeant dans les purins, avec ennui. Il tâchait de se persuader que le servage des créatures hâves et squalides qu'il voyait peiner sur l'aire était pour lui plein d'intérêt. En réalité, un tel labeur seulement lui rendait plus répugnante la basse humanité qui, de tout temps, s'y ravalait. Les pantalons en bouillie, éreinté, ravagé d'une faim-valle, il rentrait se mettre au lit, après avoir ingéré de copieuses nourritures.

Puis le charme bienfaisant s'épuisa; les hantises resurgirent... Des cygnes noirs, de tristes cygnes en deuil, dans un lunaire minuit, voguent sur un lac aux confins du monde, près d'un volcan... Sur une eau de ténèbres passent des nacelles où des musiciens râclent sur des os des airs joyeux... Deux sombres lys sur un îlot hurlent et pleurent avec des abois de chiens... Une araignée file sa toile sur un cercueil au fond d'une alcôve... Et une impression confuse, subie autrefois, surtout persistait... «Impératifs et commandant le renoncement à tout espoir... Prophétiques yeux au fond desquels s'érige l'appréhension des croix... Yeux chargés de rancune... Yeux vengeurs...»

—Des phrases! Des rêves! se dit-il avec une ironie amère. Voilà donc ce qu'évacue en nous la lecture des poètes! Cette fille, d'ailleurs, avec sa peau verte, ses épaules en sifflet et son corsage pauvrement nubile, à peine paraîtrait désirable aux autres hommes.

—Possible, dit une Voix en lui, mais pour toi, que tu le veuilles ou non, elle est diabolique, d'une beauté retorse et cauteleuse qui te jugule.

—Ah! fit-il en frappant sa canne à terre, se pourrait-il que je fusse à ce point atteint? Il ne me resterait plus, en ce cas, qu'à m'accabler de mon propre mépris.

Une mort blanche pèse sur la ville et les campagnes: Lépervié ne s'aperçoit pas que sa silhouette grimace sur le soir blême en gesticulations dont s'amuse la malice du passant.

—Œil ouvert comme un trou sur la nudité de la chair (encore cette Voix), œil prometteur de joies impures, œil qui, comme une bouche, boit les baisers et mange la sève des hommes!

Au bas de l'avenue, sur les pentes d'un terrain déclinant vers un sombre lac, d'affreux logis exsudent, par l'embu des plâtres, de vertes moisissures. Lentement, en leurs vitres mortes, une braise s'allume, jaillie d'une crevasse ardente qui, là-haut, vomit un dernier flot solaire.

Le président voit:

Dans le ciel aigre, par-dessus un immobile paysage de neige, se dilate, sous la paupière lourde d'une nuée, un grand œil triste, d'où s'épand, en un large rais oblique sur l'ennui de la terre et de l'eau, le regard du jour agonisant.—«Oh! je le reconnais, songe-t-il, c'est le même ciel toujours; mais à présent, c'est comme si quelqu'un, par cet œil triste de l'espace, regardait au fond de ma conscience!»

Pâques, depuis une semaine, gratifiait Paule et Guy de vacances en province chez des amis possesseurs d'un château, avec nacelles sur le lac, poneys à l'écurie, mails dévolus à des sports variés. Leur départ, en éclaircissant la circulation dans la maison, avait mis comme une housse de silence aux chambres vidées de la turbulence de leurs jeux et de leurs rires.

—Il faut bien qu'ils s'amusent un peu, ces pauvres chéris, disait pour se consoler Mme Lépervié, plus seule dans la peine de son corps las à traîner par le silence des chambres.

Le président désœuvré, sans courage pour l'action ou la pensée pendant ce chômage professionnel, de plus en plus déviait vers un état passivement sensationnel, à la dérive de la vie et de l'esprit. L'inutilité des fatigues corporelles, comme dérivatif à un mal inexplicable, l'avait rejeté à des loisirs sédentaires, à l'internement dans le moite ennui du cabinet, à l'incuriosité des lectures essayées pour tuer les heures. Puis un plus absolu désintérêt le promena sans but de la cave au grenier, malheureux jusqu'à l'angoisse, plein d'un insurmontable dégoût à l'idée de se raisonner, suspectant l'approche d'une crise, les paumes titillantes et rétractées, l'estomac ravagé comme par un chatouillement d'émétique.

Sans transition il éprouva la nécessité d'une explication avec Rakma.

—Je m'humilierai, je la supplierai de déserter cette maison, je lui dirai... Oui, le devoir, ma femme... Elle m'écoutera.

Cette hypocrisie pleutre dissimulait péniblement les abois de sa chair malade, travaillée maintenant d'actifs ferments.

Pendant deux heures il l'attendit, rôda par l'escalier, mais son guet d'abord fut déçu par les circonstances. Mme Lépervié la retenait auprès d'elle, en un besoin de se passionner pour des sentiments factices, à défaut d'un aliment à ses maternelles impulsions. Depuis midi, l'institutrice lui faisait la lecture d'un roman sans ragoût, mais qui, à travers le leurre d'une action compliquée, l'étourdissait du va-et-vient mécanique de ses personnages. Ah! se dit-il, si cette insipide émulsion littéraire doit l'intéresser plus longtemps, avant une heure je serai retombé à mon apathie.

La voix de la liseuse enfin s'arrêtait de crachoter la prose glaireuse du triste écrivain; un fauteuil roula sur le tapis; et presque aussitôt, dans la coulée de jour assombri de la porte, sa robe noire en silhouette se découpa. Le soir tombant alors enhardit Lépervié; il redescendit lentement de manière à se faire dépasser par Rakma, qui descendait aussi, puis la rejoignit sur le palier de son cabinet, et là, lui touchant le bras, balbutiant:

—Un instant... entrez.

La porte se referma sur eux. Tout de suite il la saisit par les poignets, plongeant ses yeux dans le regard sans peur avec lequel elle semblait attendre un événement dès avant ce jour consenti. Mais déjà il avait oublié par quels propos concertés l'entamer. Une passion soufflait à ses narines; ses jambes sous lui battaient. La gorge rauque, il s'affola:

—Ça ne pouvait pas durer... Ah! c'est vous qui l'avez voulu... Maintenant criez, ça m'est égal, on ne vous croira pas... Je suis au-dessus du soupçon. Mais parle-moi donc, dis-moi que tu me hais, comme je te hais, moi.

Ses doigts avec des secousses l'attiraient. Il subissait délicieusement la forme de ses genoux et de son ventre. Tout secoué de furieuses haleines, il se mit à lui manger les cheveux de voraces baisers.

—Les vieux, les vieux, il n'y a qu'eux pour aimer... Demande-moi tout... Nous irons vivre dans un coin... Je t'amuserai, tu verras... Et puis ça n'est pas d'aujourd'hui... J'ai lutté, mais il y a des fatalités... Étais-je stupide, hein? Comme si on s'appartenait! Et puis encore, tu sais, ce n'est pas vrai... à mon âge, à mon âge...

Rapidement elle tirait de sa robe et baisait une petite médaille d'argent, relique ou talisman. Puis, sans un regret, nulles roses de honte sur la pâleur morte du visage, elle parut accepter le stupre d'une autre femme prisonnière en elle, sa sœur impure, vouée à l'opprobre du sacrifice d'où elle-même sortait épargnée. Passive, elle s'abandonnait.

Lépervié perdit la tête et l'emporta sur les coussins, en le familial divan, depuis des ans le confident de ses méditations, l'ami des aises de son corps; il avait aussi délassé les relevailles de l'honnête femme encore ulcérée de sa maternité.

Brusquement le silence de la maison, à peine les râles expirés, fut rompu par un coup de sonnette parti de l'appartement de M$^{me}$ Lépervié et à bref délai suivi de la galopée de la femme de chambre dans l'escalier.

—Va-t'en, pars vite, trouve une raison! s'écria le président, repris à l'angoisse du réel.

Les yeux clignant de peur parmi les rouges vergetures du sang à ses joues, il la poussait vers la porte d'une main qui, avec de libertines odeurs encore autour de ce remords du geste, déjà récusait la douceur hardie des caresses égarées par les robes.

—Ah! dit-elle, auriez-vous le courage de me chasser *à présent*?

Il sentit l'humiliante nécessité de ruser.

—Te chasser? Qui peut y penser? N'es-tu pas, toi aussi, désormais la maîtresse dans cette maison que ton amour va me rendre plus chère? Tiens, reste-là, ne t'en vas pas encore. Demeure en cette chambre à jamais pleine de ton souvenir.

Mais une gêne démentait ce ton insidieux. L'effroi de leur tête-à-tête surpris lui causait un mal physique intolérable. Il redouta ne pouvoir maîtriser un soudain accès de brutalité.

—Soyons prudents, ma chère, dit-il avec contrainte; il ne faut pas que personne s'avise de nous trouver en faute.

Elle leva sur lui un regard de reproche.

—Déjà la faute?

Alors il la ressaisit dans ses bras passionnément, lui baisant les mains, les yeux, les joues, en un transport d'homme égaré.

—Non, non... S'il y a eu faute, moi seul suis coupable... Ce mot cruel, je ne le pensais pas, je te jure... Ah! tes yeux! laisse-moi les baiser toujours!

Elle lui mit la main sur la bouche.

--- Ne nous défendons pas, mon ami (avec une voix aérienne, lointaine). Ce qui est fait demeure scellé à jamais. Et puisqu'il y a eu faute, j'en porterai la peine avec orgueil.

Un instant sa forme noire s'attarda, pensive, sur le seuil; puis la porte se refermait; il entendit décroître sa fuite silencieuse dans l'escalier.

—Quelle petite femme délicieuse! se répéta avec enjouement Lépervié en s'octroyant la vaniteuse assurance d'avoir triomphé d'une hermétique résistance.

—Ah! délicieuse!

Étendu sur le sofa saccagé, parmi le désordre des coussins perpétuant les amoureuses violences, il écouta les exultations de sa chair encore voluptueuse. Une sensation de jeunesse toute neuve, sous l'oubli de l'âge, ravivait le printemps des premières possessions. C'était, comme par miracle, la fraîcheur d'une jouvence coulant en ses veines le vin fort des joies viriles.

Il se leva, repoussa avec violence la table, tout à coup pris d'un besoin de bruit, ensuite alla à la glace pendue au-dessus de l'âtre. Et un visage dominateur, aux yeux humides et dominateurs—le visage qu'il croyait posséder en cette crise de juvénile orgueil—s'y évoqua des obscurités de la nuit, illusionnant le regard avec lequel il s'adonisait en ce mensonge.

—Ah! se dit-il, je comprends à présent quel héroïsme peut verser l'amour au cœur d'un homme. Toute la chevalerie n'est pas autre chose que l'exaltation passionnelle d'une race en qui la religion de l'amour n'est pas émoussée.

Mais ces temps sont passés; une ferveur généreuse ne peut plus guère fructueusement s'exercer que dans le domaine moral. Il existe une race éternelle d'opprimés qu'un devoir commande aux grands cœurs de secourir. Oui, la femme, l'enfant, les toujours dénués d'appui et de tutelle, c'était l'amour nouveau, c'était la chevalerie d'un temps sans paladins. La pitié pour les humbles, la tolérance pour tous, ah! l'âme moderne se résume en plus d'amour et de miséricorde. «Mais voilà que je rabâche encore une fois, péroreur sempiternel, au lieu de me laisser aller naturellement au délice de ce soir inespéré et sottement différé!» Rien n'est vrai que de suivre la pente où entraîne la vie, cette meilleure conseillère des œuvres profitables et bonnes.

Il ouvre la fenêtre, il hume cette polaire nuit durement étoilée, il allume ensuite sa lampe. Une molle paix claire glisse sur la dévastation des coussins.

—Oh! se dit-il, confus, ce fut ici! Jamais Lydie, celle qui fut toujours son irréprochable Lydie, ne pénètre en ce réduit des bonnes pensées, à présent bouleversé, mais une des filles de service n'aurait qu'à s'y introduire en son absence. «Allons, puisqu'il le faut, remettons un peu d'ordre dans tout ce cher pillage!»

Et à regret, il superpose les coussins, rentasse dans les capitons les livres écroulés sur le tapis...

Maintenant c'est fini, la chambre a repris son aspect usuel, rien n'y rappelle plus les sentiments parjurés ni les autres nouvellement scellés.

Lydie! Sa femme! Elle n'a fait que passer dans son esprit, ombre légère là-bas sur un rivage délaissé. Mais une correspondance aussitôt s'établit entre cette image et le sofa, baignant dans la lumière blonde:—«Ma pauvre amie! Ah! ton pauvre cher cœur!» Ce regret lui monte des lointains de sa vie, s'effuse des sources pures de son être, en molle mélancolie.

—«Mais j'étouffe ici! Ce sont trop d'émotions à la fois... J'ai besoin de me sentir marcher, de me reprendre à la réalité pour me persuader que tout cela n'est pas un rêve.»

Dans la rue, le président s'étonna d'avoir retiré la clef de son cabinet: «Oh! parce qu'un mystère, pour tous insoupçonné, dorénavant se rattache à cette partie de la maison, voilà que j'ai l'air d'en prohiber l'accès.»

Il marchait très vite et ensuite lentement, au hasard, frappant les trottoirs de sa canne, perdu en du bonheur. Comme il traversait un carrefour, il regarda en souriant une femme qu'il revit la minute suivante, s'avançant à ses côtés et lui souriant avec insistance. Il fit un détour, elle s'obstina; et du mépris tout à coup l'eût poussé aux injures si enfin cette créature ne s'était décidée à tourner les talons. Quel flair avertit donc les femmes du passage d'un homme heureux et les induit en la conjecture d'une proie d'autant plus désirable qu'une autre en a pris d'abord sa part? «À moins, toutefois, se dit-il, que l'indissimulable joie de l'homme aimé, malgré lui, n'éclate en ses prunelles et ne le signale aux convoitises de la rue.»

Un choc le tira en sursaut de cette méditation.

—Vertuchou! Quelle pétulance, mon président! Vous avez failli me passer sur le corps.

Lépervié reconnut un de ses collègues du tribunal, sans doute lancé sur une piste féminine.

Il réitéra ses excuses.

—Il m'arrive une grande joie, et vous savez, dans ces moments...

Cependant la pensée de se retrouver en tête-à-tête avec sa femme le tourmentait d'un vif malaise. Il y avait un peu plus de deux heures qu'il avait quitté la maison et il ne savait se décider à rentrer. Comme il passait devant un bureau de télégraphe, l'idée lui vint d'avertir Lydie qu'il avait été retenu pour une affaire pressante. «Oh! oh! voilà que je m'impose déjà la pénible nécessité de mentir! Que sera-ce plus tard?»

Ce scrupule l'arrêta au moment où il poussait la porte. Il remonta la rue, attristé, revint sur ses pas, enfin se décidait à pénétrer dans le bureau. Il alla au guichet, paya une taxe de quinze mots.

Ensuite, arpentant les trottoirs, il eût souhaité rattraper son télégramme; rien ne lui paraissait plus affligeant que cette duperie envers la confiante femme qui jamais ne l'interrogeait sur ses sorties. «Ah! se dit-il, l'évidence de la faute serait moins atterrante sans nos subtilités puniques pour en conjurer les effets. En inventant des prétextes, je la trompe deux fois.»

Mais l'*autre homme* insidieusement protesta: «Ne vois-tu pas qu'avec ton éternelle manie d'argumenter, tu accables la pauvre fille qui tout à l'heure s'est, sans nulles garanties, livrée à ta discrétion? En t'accusant d'une faute, tu ne fais que consacrer sa complicité, puisque, si tu es coupable, elle est coupable non moins que toi.»

«C'est vrai, pensa Lépervié, ne dirait-on pas vraiment qu'il lui faut déjà se faire pardonner son amour? Moi seul suis sans excuses pour trop complaisamment écouter de vétilleux scrupules.»

Onze heures sonnaient quand le président introduisit la clef dans la serrure et, sans bruit, ouvrit la porte de la maison. Les domestiques étaient couchés; rien qu'une faible coulée de gaz dans le vestibule. Allégé, il monta l'escalier, à la pointe des bottines, pénétra chez sa femme.

Elle dormait, ses bras hors des couvertures, un mouchoir sur les yeux, pour s'abriter contre la clarté de la lampe brûlant, la flamme haute, sur la table, parmi le joli désordre laborieux d'un soir de livres et de couture. Cette vive lumière le gêna ainsi qu'un œil qui l'eût regardé entrer; il descendit la mèche, appuya sur l'abat-jour, et, comme il relevait les yeux, ne put réprimer un tressaillement en s'apercevant dans la glace.

Tous ses actes simulaient l'approche d'un étranger survenu en cette paix nocturne pour un dessein informe; quand, à pas prudents, il s'approcha du lit, c'était encore comme si un autre homme s'avançait.—«Mais j'ai vraiment l'air d'un criminel,» pensa-t-il, sans rien tenter pour récuser un tel rôle et en conformant, au contraire, avec un étrange plaisir, son geste aux furtives et muettes manœuvres d'un ténébreux assassin.

Subitement, devant le linge qui, d'un simulacre de linceul, sans un pli où palpitât la vie, recouvrait le front de Lydie, une douleur le foudroya; il ressentit la certitude de sa mort aussi irrécusablement que si elle eût expiré sous ses yeux. Même son cri défaillit; il ne put que se pencher vers sa poitrine, avec le doute affreux de ne plus entendre sa respiration.

En cet instant, elle ouvrit les paupières; un long regard mal éveillé en glissa, l'enveloppant de bonté affectueuse, tandis que son sourire, plus encore que sa voix, lui disait:

—Te voilà, mon ami?

Il la couvrit dans un embrassement de vieil amour, comme si des ombres, toute pâle, elle ressuscitait; et ensuite (sans qu'elle lui eût rien demandé) il lui narra, savoir: d'abord il était sorti pour prendre l'air; mais il avait rencontré un ami; celui-ci, racoleur de bibelots, l'avait entraîné voir une médaille, une tête de femme, aux yeux extraordinaires, des yeux de songe et de mystère. «Oui, tiens, avec un peu de l'air de Rakma, figure-toi.»

Il parlait très vite, s'embrouillait à détailler le portrait de l'institutrice à propos de ce bronze frauduleux qu'il appela ensuite un camée. Son mensonge le grisait; il mentait d'entrain, sans remords, avec la certitude toutefois de se dégrader à une basse et gratuite imposture.

Madame Lépervié l'interrompit:

—Mais alors, que devient en tout cela ton télégramme?

C'est vrai, il l'avait oublié, ce télégramme, et, pour raccorder son édifice de piperies, il s'enferra en des explications diffuses.

—Je ne t'en demande pas si long, s'écria Lydie en riant. On dirait vraiment que tu me crois capable de te soupçonner.

Toute sa fourbe tomba sous la quiétude de cette indestructible foi. Il la baisa en un attendrissement qui fut sur le point de lui arracher des larmes; à ses lèvres, encore souillées de l'ignominie des fausses paroles, montèrent les paroles du repentir.

—Sainte et chère femme, pardonne à mes mensonges très vils. Ce n'est pas vrai, ce n'est point pour *cela* que je ne suis pas rentré; j'essayais seulement d'échapper à ma mauvaise conscience.

Telles il les pensa, ces paroles du pécheur résipiscent, mais elles expirèrent à sa bouche, et seulement il lui murmurait très doucement:

—Sainte et chère, chère femme!

L'honnêteté du grand lit, avec ses épaisses courtines lissées comme exprès pour sceller de mystère les inamovibles tendresses conjugales, avec ses étages de coussins gardant la forme de leurs sommeils jumeaux, maintenant le persécutait comme d'un blâme. Il n'aurait pas eu le courage d'y étendre ses membres. Il prétexta une nervosité déterminée par le café (ah! encore mentir!) pour essayer de combattre par un peu de lecture la menaçante insomnie. Finalement, il se tassa dans un fauteuil après avoir attiré un des livres traînant sur la table. Alors elle lui reprocha ses excès de travail.

--- Tu te surmènes, mon pauvre chéri, tu finiras par te rendre malade... Ah! dis-moi, pourquoi donc es-tu parti en emportant la clef de ton cabinet?... Figure-toi, j'aurais voulu me faire lire ce soir quelque livre bien grave... J'étais en humeur de lecture fructueuse.

Il joua la surprise avec un effort pour s'énoncer posément.

—Vraiment? j'avais emporté cette clef? Je t'assure que je n'avais nullement l'intention... Mais non, je t'assure...

Par crainte d'un nouvel ennui, tandis que M^me^ Lépervié, reprise au sommeil, tapotait de ses belles mains grasses les plis des draps et s'y cherchait une attitude, il feignit de se concentrer dans sa lecture. Mais, de dessous ses sourcils, ses yeux obstinément convergeaient à présent vers un point de la chambre où un reste de la présence de Rakma s'attestait en un travail de tapisserie qu'elle achevait à petites fois et qui gisait, oublié, sur une chaise.

Alors, pendant quelque temps, il s'absorba en elle, crut l'entendre marcher là-haut, se persuada qu'elle veillait comme lui. Un grand silence—et le solennel oiseau aux ailes de velours qu'il évoque—planait sur la paix de la chambre, comme rendu palpable et visible dans les ors immobiles de la lumière qui, ensuite, en de graduels déclins, s'apâlissait aux pénombres du plafond. Petit à petit cette mansuétude pacifiait ses ferments; la léthargie des ambiances froidissait sa chair libertine. Il éprouva la langueur d'une convalescence après un mal enfin réduit. Même le grand lit, comme une nef tranquille après les écueils, (le lit où Lydie avait saigné ses génitures), le chatouillait presque délicieusement d'une volupté de regrets pour ses respects transgressés.

—Se peut-il vraiment que je l'aie trompée, douce amie! Tu ne méritais pas un pareil outrage. Mais, je te le jure, jamais tu n'en sauras rien; je te vénère trop pour te laisser soupçonner que je puisse te manquer de constance.

L'ingénue hypocrisie de cette assurance, en conciliant la décence et la passion, le rendit mûr pour un sommeil sans remords.

Le lendemain, en entrant dans son cabinet, Lépervié se définit mal la sensation de renfrognement et d'expansion qui simultanément plénifiait son cœur et raréfiait ses idées, humilia et exalta son orgueil. «Une indécision de rêve persévère en moi, récapitula-t-il. J'ai peine à me figurer que cette chose se soit réellement accomplie.»

Machinalement son regard le rencontra dans la glace où la veille il s'était adulé en un prestige de juvénilité reconquise. L'indubitable portrait, sans nulle supercherie, maintenant avérait l'usure: il vit la peau fendillée d'une infinité de craquelures, les paupières bouffies et lâches, l'orbite pochée, réticulée de pattes d'oie.

—Malheureux! s'écria-t-il, est-ce bien toi? Et oses-tu bien te regarder encore?

Son malaise physique augmentait: il en arrivait à soupçonner de la part des meubles un vague reproche, et qu'ils le regardaient, pensifs, consternés.—«Voilà que je retombe à mes sottes idées. Le mieux sera de m'en aller d'ici pour quelque temps.»

Mais au moment de sortir, il remarquait une lettre, égarée parmi les journaux. Il l'ouvrit: ses enfants lui annonçaient leur retour.

—Il ne manquait plus que cela, se dit-il, atterré.

Paule et Guy rentrèrent à la fin de la semaine; et tout de suite la maison, après cette léthargie de l'absence, se galvanisa aux tumultes qu'ils rapportaient de leur séjour aux champs, tout un temps lâchés, comme de pétulants animaux, au fond des grands parcs moirés par l'eau des étangs. Et ce furent des galops du haut en bas des escaliers, des férocités de jardinage dans l'urbaine rusticité du bosquet, un printemps d'oiseaux aux barreaux des cages. Enfin la mélancolie de M^me^Lépervié s'éjoyait; le président lui-même se détendait de sentir aux sèves qui, dans les petits, éternellement continuent la famille, reverdir et refleurir l'arbre de sa vie.

«Ma destinée me condamnerait-elle à me montrer injuste tantôt envers l'un, tantôt envers l'autre? pensait-il non sans tristesse en se rappelant l'ennui d'abord ressenti à la nouvelle de leur retour. Ces pauvres enfants! J'ai presque à me reprocher la désuétude de ma paternité!»

Il s'excita à racheter ce détestable mouvement par une ostentation de tendresse. Cette chambre de la mère où, depuis d'immémoriales époques, la femme, sa femme, abdiquait tout souci hormis l'exclusif souci maternel et qui gardait, couvée en sa molle paix de gynécée, la durable chaleur d'un nid familial, surtout stimulait sa paternelle ferveur. Là il les caressait mieux, les prenait entre ses genoux, librement se laissait aller à leur prodiguer son affection de brave homme. Mais bientôt il crut remarquer qu'une inexplicable honte, comme d'un homme surpris en un élan d'amour frauduleux, arrêtait net toute expansion sitôt que l'institutrice pénétrait dans la chambre, «N'aurais-je plus le droit d'aimer mes enfants devant elle? se récria-t-il; ou serait-ce qu'une mauvaise pudeur me contraint à maîtriser le plus naturel des entraînements? La vie à ce compte deviendrait un réel supplice.»

Peut-être après tout, son prestige de mûr adonis s'offusquait seul des familiarités d'un commerce bonasse et paterne.

—«Oui bien, peut-être n'est-ce que cela,» s'avoua-t-il, lénifié, en s'efforçant de rejeter sur un trop susceptible amour-propre cette gêne stupéfiante.

Cependant elle affectait à l'égard de Paule et de Guy un dévouement un peu réservé, mais correct et ponctuel.

À bref délai, Rakma attesta une supériorité féminine dans la nette perception du trouble qui le dispersait et la tactique dont elle usa pour pacifier ses petits tumultes intérieurs.

Elle lui arriva un soir, affligée et languissante, et lui imposant les mains aux épaules, appuyant sur les siens ses lourds yeux interrogateurs:

—Mon ami, car n'est-ce pas le nom que je voudrais toujours vous donner?—j'ai peur de trop bien lire en vous. Il me semble que vous devenez injuste pour des êtres qui vous touchent de bien plus près que moi. Vous l'avouerai-je? Je voudrais être si étroitement mêlée à votre vie que vos autres affections ne seraient pas séparées de celle que vous avez pour moi. En y prenant part moi-même, je demeurerais comme une amie que son dévouement à tous ceux qui vous sont chers peut-être excuserait à ses propres yeux, si elle avait à se justifier plus tard de trop vous paraître attachée.

—Ah! ma belle amie, dit Lépervié sans dissimuler son émotion, il ne manquait à mon bonheur que cette assurance de vous savoir si intimement avec moi dans tout ce qui peut me l'assurer.

Il la serra en ses bras, mais tout de suite elle se dégagea, comme si nul aloi charnel ne dût altérer cette minute de bon amour. Et, un peu étonné, il la considérait, tandis que, les prunelles recouvertes par la pensive retombée des paupières, elle lui disait d'une voix dont elle avait l'air de se parler:

—Je sens mieux mon devoir à présent. Je serai à côté de l'autre, mais dans l'ombre, tout obscurcie de mon volontaire veuvage, une épouse, une sœur,—l'effacée et la résignée.

Un sourire ensuite lui délia la bouche, un sourire dans lequel déjà elle s'offrait à tout le martyre prochain, et presque enjouée, elle toujours si grave, elle ajouta:

—Voilà ma vie toute tracée. Dites que vous y consentez en me promettant...

—Tout, fit-il.

—Oh! Je ne vous demande que cela: aimez-*les*, mon ami, aimez-les avec l'idée que les aimer plus, c'est m'aimer davantage moi-même.

Alors sa sensibilité déborda; il eût baisé le bord de sa robe; il se fût courbé vers ses pieds. Mais au fond de lui, la Voix tout à coup l'exhorta:

—Aiguise jusqu'aux larmes ton légitime attendrissement. Il n'est pour la volupté de plus efficace stimulant qu'une vive et onctueuse émulsion du sentiment. Vois comme sous la rosée des bonnes pensées, la proie s'offre à toi, moite et ductile. Et connais donc enfin le transport de conculquer d'un peu de sacrilège ce que (là, tout entre nous) il serait peut-être ridicule de révérer trop exclusivement.

Elle se défendait encore contre l'égarement de son geste qu'il la brutalisait sous un impérieux amour en buvant à ses paupières les vertiges de la possession, lui râlait en des folies de baisers:

—Ah! chère âme magnifique! Créature élue! Ma soif!

Elle lui échappait avec un cri, un instant s'attardait contre la porte, les deux mains au visage, comme pour refouler jusqu'à son cœur, avec les jets du sang, les roses de la honte et de l'amour. Puis elle se jetait à travers l'escalier.

—Ah! président! président! ce petit gueux d'amour te rend singulièrement pétulant, se confessa ce magistrat-régence, d'abord interdit de la fuite et qui à présent, chaussant les hauts talons rouges du plus fat amour-propre, arpentait la chambre allègrement.

À la réflexion, sa bravoure lui parut moins glorieuse. «Il n'y a vraiment pas de quoi tant me vanter. J'ai cédé à un mouvement que n'excusait nulle exaltation de sensibilité. Tout, au contraire, m'enjoignait de l'épargner. Elle doit fièrement me mépriser.»

Le président tout un temps navigua à travers la paix du devoir sans défaillances. Nulle sécurité ne prévaut sur les légitimes stipulations de la nature. Les ressacs vers lesquels il s'était senti fluctuer actuellement s'uniformisaient dans le cours régulier et comme en le large fleuve de ses propensions affectives. C'était un état reposé, léger, où, sans nulle contradiction, il ne se pesait plus, un état lui procurant la sensation de son être sidéralisé, allégé des limons fonciers, montant comme un gaz dans ses propres clartés,—psychologie subtile qu'un sens plus délié lui rendait perceptible. «Elle est ma conseillère incomparable, se disait-il en rapportant à Rakma la cause de cette inappréciable quiétude. C'est pour avoir écouté le Juste et le Vrai parlant par sa bouche qu'à cette heure je nage en ces eaux lumineuses.»—Mais alors, insinua son hypostase, il se peut donc rencontrer dans une condition frauduleuse une grâce d'accession vers une plus parfaite Justice et telle que n'en pourrait conférer une condition normale et rectilignement vertueuse? En l'état de péché (au jugement de l'Église et de la Société), un homme serait capable de mieux assumer la pratique du Devoir que s'il était indemne d'aucunes avanies morales? Ce qui revient à dire qu'il faut, logiquement, en vue d'un si rare bénéfice, pratiquer l'œuvre non pie et transgresser toute loi humaine et divine.

Le magistrat, par dédain professionnel des écarts de la raison, tout aussitôt réprouva avec force cette théorie éversive. Non, non! le crime ne peut engendrer la justice non plus que le bonheur. C'est là un sophisme qui irréparablement désorganiserait ce monde tablé sur l'ordre. «Toutefois, objecta Lépervié avec une fine nuance de duplicité, le bonheur a ceci de surprenant qu'il abolit jusqu'à la notion des causes qui le déterminent. S'il naît de la faute, il la résorbe comme le feu les éléments impurs, et uniquement il s'égale à soi seul, supérieur à tout le reste. La faute, d'ailleurs, ne commence qu'avec le bonheur fini, puisque le bonheur la nie.» (Et il ne pouvait en disconvenir, il était parfaitement heureux.)

Son culte pour la splendeur de l'épouse s'était encore exagéré; ses paternelles entrailles exultaient; il sentait qu'il s'incrustait dans les vertus domestiques. En admettant la faute, n'était-il pas admirable que ce fût cette faute même qui l'affermît en la pratique du Devoir? Cette Rakma, par laquelle un autre eût été criminel, au contraire lui aplanissait les voies vers le bien. Mais que de vicissitudes avant d'en arriver là! Et il repensait à ses troubles antérieurs pour en rire et les mépriser. «L'homme est aléatoire. Est-ce vraiment moi qui m'opposais à ma sécurité actuelle par les indécisions où je me résignais à être ballotté? Mais sans doute toute initiation à une plénitude de destinée s'entoure d'inévitables ombres!»

Un jour:

—Eh bien! es-tu enfin contente de moi? Et m'accuseras-tu encore d'indifférence envers les miens? C'était au dedans de moi un obscurcissement que ta lumière a suffi à dissiper. Grâce à toi, je suis sans effort la voie où un tendre devoir m'enjoint de marcher.

Elle secoua la tête:

—Non, ce n'est pas encore tout à fait ce que je voudrais. Il vous manque—oh! comment osé-je vous parler ainsi?—il vous manque la simplicité et la fraîcheur de cœur.

À cette raffinée casuistique—(mais où diable, se demanda-t-il, a-t-elle appris cet art des nuances?)—Lépervié ne put maîtriser un mouvement d'humeur.

—Oh! vous êtes difficile, ma mignonne. À votre sens, si je comprends bien, je fais trop en ne faisant pas assez.

—Oui, dit-elle en riant, c'est un peu cela. Je voudrais, là, tenez, être si avant mêlée à votre vie que vous vous aperceviez moins que je suis là... Et je devine que c'est encore moi que vous aimez en aimant les autres, et que vous ne les aimez si fort que pour témoigner que j'y suis un peu pour quelque chose.

—C'est la vérité même, s'écria étourdiment le président, surpris qu'elle vît si bien en lui. Mais, ma chère, fit-il en se reprenant aussitôt, nous exagérons tous les deux, je crois. Et il se répétait à lui-même:—Oui, oui, tout cela est fort exagéré.

—Eh bien! je le regrette, déclara-t-elle froidement en coupant court à l'entretien, (C'était en bas, dans la salle à manger où, les enfants remontés, ils s'étaient attardés, avant que la femme de chambre desservît). Et elle se levait, traversait la pièce, sans le regarder, ensuite gagnait l'escalier.

—Quelle étrange fille! pensa Lépervié.

Il déplia des journaux, les rejeta sur la table.

—Tu avais tort encore une fois, lui dit la Voix. Il t'est vraiment trop facile de toujours te justifier. Aurais-tu la sottise de prétendre que tu ne mêles point quelque apparat à ton affection pour des êtres qu'il te siérait d'aimer simplement? Toujours une part de virtuosité, ô cabotin, rhéteur invétéré! s'immisce jusqu'en tes plus naturels penchants.

Lépervié s'humilia.—Ah! soupira-t-il, qu'il est malaisé de rester dans les limites de la nature! Mais, voilà que de nouveau je vais être obligé de raisonner avec moi-même... Et justement je ne me croyais arrivé à une si inhabituelle quiétude d'esprit que parce que j'en avais fini avec cette affligeante manie!

Mais le soir même elle lui arrivait toute changée. Elle s'emparait de ses mains, lui disait:

—Ah! comme je m'en veux pour ce mot de tout à l'heure! On a tort de trop s'écouter. Il n'y a pas de raison pour que je me mêle d'une affection qui, après tout, ne me regarde pas! N'était-ce pas bien assez beau déjà de me laisser croire qu'en aimant ceux qui autour de vous ont droit à être aimés par-dessus tout, vous les aimiez un peu à travers moi?

—Hé! répondit étourdiment Lépervié, je me reproche bien plus de n'avoir pas compris en ce moment ta petite âme adorable!

Il pensait:

—Je serais pourtant le maître de me montrer dur si je voulais.

Elle lui coula moelleusement un regard aigu comme une lame de canif.

—C'est bien là ce que vous pensez, tout ce que vous pensez? Vous ne venez pas de penser autre chose, à l'instant même?

—Mais non, fit-il, surpris.

Une lumière humide, une eau de clarté perla dans un battement de cils, amollissant aussitôt ses iris acérés.

—Je voudrais, dit-elle audacieusement, vous demander quelque chose... Mon ami, êtes-vous parfaitement heureux?

—Si je... Peux-tu me le demander?

Pour réchauffer cet élan tiède, il mimait un geste persuasif qui attestait le ciel.

Un silence. Puis la cristalline lueur trembla, glissa le long de la joue, et il buvait cette larme unique avec la volupté sèche de ses lèvres, tandis que, toute faible, cachant la tête en son épaule, elle murmurait:

—J'ai tant besoin de le savoir. Ah! toute ma force est là! Je n'en ai point d'autre pour demeurer sous ce toit où...

Il la sentit vibrer sous ses robes d'un frisson qui monta, s'étendit, expira sous la bouche dont, tout à coup transporté, à présent il lui mangeait les paroles.

—Tais-toi, n'ajoute rien!

—Ah! je veux m'accabler... Ne sais-je pas que je l'ai à jamais souillée, cette maison de la confiance et de la bonne affection?

Il s'agita, en proie à un malaise violent:

—Ce n'est pas vrai... Et puis, et puis, à quoi bon parler de cela?... Est-ce que l'amour ne justifie pas tout?

—Oui, oui... je suis folle de penser à moi... N'est-il pas juste que je me sacrifie pour votre bonheur? Et si vous êtes heureux, qu'importe que je puisse cesser de l'être un jour!... M'immoler, c'est encore de la joie.

Cette scène surexcita démesurément Lépervié qui, trépané par une céphalalgie, se commanda prosaïquement un bain de pied et s'alita jusqu'au lendemain.

Une ère alizée ensuite, comme un dernier bienfait des destinées.

En des soirs d'avril élyséens, sous des luminosités et des frissons tièdes de ciels, sous des pâleurs humides d'étoiles, il croyait voir s'alanguir et palpiter l'illusion des stellaires prunelles, maîtresses de sa vie. Aux aromes du bourgeonnement, c'était une montée de sèves vives, la grâce d'un intellectuel printemps juvénilisant sa maturité d'homme régi par d'invétérés errements, une fraîcheur du sens le ductilisant à des perceptions déliées, une palingénésie de son âme où elle renaissait ailée, émue, et qui décristallisait sa routine figée de vieux magistrat.

Au cours de ce période il écrivait pour une revue de jurisprudence, le remarquable article où un congrès, plus tard, devait puiser les éléments d'un essai de réforme pénale. Courageusement il y signalait (condition ravalée de la femme, recherche de la paternité toujours éludée), la sénile et obtuse immiséricorde de la Loi, fomentatrice d'irréparables iniquités. Et la page, toute chaude d'humanité blessée, lui coulait de la plume, d'une éloquence cubique et nourrie qui, l'article paru, l'étonna lui-même. Comment n'avait-il pas été frappé plus tôt par l'évidence de ces anomalies monstrueuses? Et quel ordre mystérieux l'astreignait à les dénoncer seulement aujourd'hui, ces abus que sa tolérance complice entérinait sans remords? La Voix dit:—Mais c'est elle, elle seule qui,—oublies-tu tes suggestions antérieures?—par sa présence en toi, te délie à cette clairvoyance!—Cela se pourrait-il vraiment? pensa le président, avec un regret d'amour-propre.

Sans la réserve commandée au magistrat, il eût rêvé une croisade pour la femme, des recrues embrigadées pour exalter la bonne parole, une organisation de catéchistes. Un héroïsme de l'esprit répercutait en lui la rumeur de batailles et de trompettes qui suit les réformateurs. Au palais, son exégèse, très commentée, lui valait, quand il passait, le froid silence des uns, comme un témoignage discret de sa force, et de la part des autres, des éloges sans retenue.—«Mais non, je n'y ai point de mérite, se défendait-il modestement. Il suffit de s'écouter un peu. C'est au fond de la conscience que règne souverainement le sentiment du Droit.» Encore y a-t-il quelque courage à ne pas mépriser ses secrètes admonitions, et le sien, à la réflexion, vu son investiture, lui paraissait simplement considérable. Mais une nature supérieure se prescrit de dédaigner l'applaudissement.

Il goûtait, en outre, la joie d'être admiré jusque dans sa maison. Mme Lépervié ne lui cachait pas les dangers de son indépendance; mais il aurait pour lui la reconnaissance des femmes.—«Au fond, je ne puis m'empêcher de te donner raison. Ton article est merveilleux de clarté et de droiture. C'est bien ainsi que devait s'exprimer un loyal esprit. Et n'aurais-tu pas raison à mes yeux que je serais encore avec toi, car il me faudrait confesser alors mon impuissance à te comprendre.»

Il avait aussi communiqué cette prose à Rakma, mais elle évita d'abord aucun jugement. Et, comme un jour il s'étonnait:

—Ah! fit-elle, je n'aurais pas osé. D'en bas je vous regarde, je vous écoute dans cette lumière où vous planez... Que voulez-vous que vous dise une pauvre fille comme moi?

L'humilité de cette louange le toucha plus que le compliment de sa femme.

—Un silence, pensa-t-il, nous livre les intimes impressions d'une âme. Je ne crois pas qu'il soit un délice comparable à celui qui m'échoit, entre ces deux femmes qui m'aiment d'une si différente et si absolue tendresse. Avec Lydie, s'exalte jusqu'à l'aveuglement un amour dévoué d'ancienne compagnonne et je rencontre dans la jeune ferveur de Rakma l'aspiration à me servir en un culte de prêtresse novice. Ma vie s'éclaire et prend feu à ces deux flambeaux dont l'un, nuptial et visible pour tous, et l'autre, voilé, mystérieux,—lampe d'une obscure chapelle où ne glisse aucune lumière du dehors...

D'ailleurs ce n'était pas même un partage de ses affections. Celle qu'il vouait à sa femme perdurait intégrale; et seulement, parallèle au Lépervié ancien, muré dans un invariable sentiment, un autre s'était levé, qu'il serait toujours temps de maîtriser s'il empiétait sur le seul légitime. Mais ceci même n'était pas à prévoir tant ils étaient chacun cantonnés en des domaines différents: ici le devoir dans la famille; là le libre caprice sans chaînes et sans lois. Et la maîtresse, par son effacement résigné, encore corroborait la démarcation entre les deux Lépervié, leur ôtait à tous deux l'inquiétude quelconque d'un pire avenir.

Un matin, dans l'engourdissement d'un demi-somme, il sembla au président qu'une moiteur, un flux tiède lui lavait la main, et cette sensation n'était pas dénuée de douceur. Il souleva la paupière. Dans le crépuscule des rideaux, M^me^Lépervié, sa main entre les siennes, silencieusement la mouillait de ses pleurs.

—Qu'as-tu, ma pauvre amie, demanda-t-il aussitôt en se dressant, le cœur serré comme par un imminent désastre.

—Non, un rêve! Ce n'est rien... Ne m'oblige pas à parler.

Elle se rejetait dans l'oreiller, enfonçant sa tête parmi le duvet, secouée d'une crise de larmes qu'elle ne pouvait contenir. Il lui entoura le col de son bras.

—Voyons, tu es une enfant. Calme-toi.

—Ah! mon ami, c'est affreux, disait-elle après quelques instants. Vois, j'en suis encore toute bouleversée.

Cependant elle s'efforçait de sourire, lui resaisissait la main qu'elle se mettait à baiser.

—Laisse-la-moi, que je boive avec mes baisers les sottes larmes dont je l'ai baignée. Ah! oui, bien sottes! Mais ce n'est pas assez de les sécher avec mes lèvres... j'ai besoin que tu me pardonnes... Même en rêve, je ne veux pas que ma pensée t'outrage... Le rêve, c'est peut-être le mauvais de nous qui s'éveille pendant que nous ne sommes plus là pour l'interdire.

—Eh bien! fit Lépervié, avec un rire contraint, je t'absous sans même vouloir connaître la cause de ce gros chagrin.

—Oh! à présent, je peux bien te le dire, puisque tu m'as pardonné... Figure-toi,—mais tu ne vas pas trop te moquer de moi,—j'ai rêvé qu'une autre femme, sur la pointe des pieds, entrait dans notre chambre. Je ne pouvais distinguer ses traits, un voile noir me dérobait son visage. Elle s'approchait de notre lit, te commandait d'en sortir, et tu obéissais à son geste, sans qu'elle ni toi eussiez dit une parole. Puis cette femme—oh! combien c'est ridicule! Je n'ose achever...

—Mais si, va donc, mâchonna Lépervié, pincé d'un atroce recroquevillement d'entrailles et retirant à lui ses pieds froids comme des glaçons.

—Eh bien! cette femme alors te passa un grand couteau, et à ton tour, tu vins vers le lit, tu m'ouvris la poitrine, tu en arrachas mon cœur. Et je restais les yeux seuls vivants, regardant mon cœur que la femme avait pris et qu'elle mettait dans une boîte. Et ensuite... Oh! non! le reste, je ne puis pas dire.

—Le reste... qu'est-ce que c'est? Mais achève donc, gémit-il, penché vers ses lèvres, avec une soif cruelle de se torturer jusqu'au bout.

—Ah! tu le veux! dit M^me^ Lépervié en se cachant le visage de ses mains. Eh bien! tu pris alors cette femme dans tes bras et devant le regard de mes yeux—le regard que tu voyais et dont tu riais avec elle—sur mon cœur en cette boîte, tous les deux vous vous...

—Non, c'est trop, en effet, supplia le président.

Elle le vit devant elle, une si douloureuse expression d'effroi au visage qu'elle recommençait à lui demander pardon.

—Te pardonner! dit-il, soudainement hors de lui et la serrant avec emportement dans ses bras, mais ne serait-ce pas plutôt à moi à implorer l'oubli de cette affreuse vision, puisque c'est moi qui en fus la cause et l'objet?

En une impulsion sincère, comme si la plus terrifiante évidence, et non un leurre, lui eût été imposée, à cette martyre d'un funeste pressentiment, il ajouta ce mot d'affection pitoyable:

—Ah! comme tu dois souffrir!

—Non, c'est fini, tout s'efface, je suis comme une naufragée après le flot sauveur, et je respire après avoir expiré.

Il s'agita, puis s'efforçant de se soustraire soi-même à l'obsédant rappel du mauvais songe:

—Tu as raison, n'y pensons plus.

Mais le gel à présent, après l'hiver des pieds, lui polarisait le cœur; il ne pouvait définir un malaise au soupçon que sa chair sous les draps frôlerait ce lamentable cadavre dépossédé du cœur, cette morte dépouille de l'épouse suppliciée pour le délice de la maîtresse, conquérante, et il évacua le lit, maussade, récusant la voix chère qui lui notifiait l'heure matinale.

—Non, ton récit m'a troublé... On n'est pas plus ridicule, en vérité, ma chère.

Devant sa glace, son blaireau à la main, il ne se reconnaissait pas tout de suite dans la face durement plissée qui venait à la rencontre de son regard, émergeant des eaux de givre du cristal, sous le matin brillant et froid.

—C'est la tête que j'avais peut-être dans ce rêve stupide, se dit-il.

Mais presque aussitôt, virant à la philosophie:

—Un songe! Un songe! Et tout n'est-il pas songe? Qui peut dire que notre vie elle-même ne soit un songe? Où finit le réel, où commence le rêve? N'y a-t-il pas en nous l'éternel mystère d'un somnambule qui va, les yeux ouverts et toutefois sans voir, vers des buts ignorés? Pour ma part, je ne sais depuis ces derniers mois si je veille ou si je rêve. Ma destinée s'accomplit à travers la nuit et la lumière d'un songe. Et commencé-je seulement de m'éveiller?

—Du tout... Tu évolues dans le cercle de ton vouloir... C'est te ravaler que de te nier conscient... Laisse à d'autres ces extravagances et vis ta vie sans incertitudes.

Pour la seconde fois (mais cette fois si nettement qu'il croyait possible de toucher sous sa chair l'autre homme), Lépervié s'avisa de la binarité de son être intellectuel. Il tressaillit.

—Qui donc a parlé? Qui me parle ainsi? C'est étrange, se dit-il, quelqu'un s'agite et parle au dedans de moi. Quelqu'un est entré dans la maison de mon esprit. Quelqu'un qui, selon toute probabilité, y est entré pour mon bien, car il me parle avec autorité au nom de ma volonté, que nulle faiblesse ne doit entamer. Non, pensait-il ensuite, ce ne peut être le larron ni le tentateur, car il me parlerait autrement.

Presque sans transition, Lépervié reflua vers une impressivité déconcertante. Le coup de timbre de la porte ramifiait à ses nerfs d'aiguës vibrations métalliques. Un pas dans la maison l'électrisait d'un sursaut. Mais surtout la sonnerie de l'heure lui était intolérable: d'abord, à la soudaine détente du mécanisme dans le silence de la chambre, à travers un vide profond un écroulement de gongs et de cloches lui broyait le tympan. Puis, chaque heurt du marteau le térébrait des lentes et continues perforations d'une infinité de petites aiguilles musicales, atrocement lancinantes. Et il se tournait du côté de la porte, comme si l'heure, en achevant de sonner, dût déterminer l'apparition de *quelqu'un confusément attendu*, sans pouvoir se définir cette impression ni soupçonner quel inconnu en cette insolite intrusion.

Il s'habitua à regarder la pendule à l'approche des sonneries, pour prévenir cette surexcitation maladive. Un saisissement néanmoins subsistait; il finit par arrêter le mouvement.

—Quel sédatisme, quelle aliptique pourrait tempérer cette nervosité anormale? pensait-il. Je suis comme un écorché sur les téguments à nu de qui un infernal virtuose râclerait de l'archet.

Sa sensibilité aussi s'éréthisait. En une nette perception réflexe, l'affliction de sa femme après le mauvais songe maintenant l'eût transporté jusqu'aux larmes. Il la revoyait penchée sur sa main, puis de ses baisers séchant la mouillure des pleurs. Et ce pardon encore!

—Ah! voilà l'inéluctable! Je t'ai outragée, pauvre âme aux ailes sans tache, âme de charité et de fraîcheur! Et, afin que l'iniquité fût comble, j'ai joué jusqu'au bout l'infâme comédie de te plaindre après t'avoir absoute, moi que ton pardon même ne pourrait laver! Mais ton rêve me châtie, toujours plus me châtiera, comme un qui fut le témoin et qui sera le justicier. Ton rêve en toi-même s'infiltrera, te rongera, t'intoxiquera ses diligents venins. Ah! le rêve te persécutera de ses froides évidences, il te chuchotera les paroles qui délient la connaissance! Et tu sauras tout, pour l'avoir éprouvé au miroir qui ne ment, au miroir qui, sous les illusions, exige et fait se lever le Réel.

—Des mots! Encore des mots! Pourquoi ce rêve serait-il autre qu'une fortuite coïncidence? Rappelle-toi qu'elle avait soupé ce soir-là, la chère femme, d'une carapace de homard, mets avéré mélancolique par la Faculté. Le homard, à ce compte, serait l'agent de sa prescience!

—C'est vrai, se persuada ingénument Lépervié, étonné du subit allègement que lui procurait l'avènement du nocif crustacé. Lydie aurait très bien pu, sans nulle vraisemblance, moyennant l'ingestion de cette chair froide et pesante, divaguer pareillement en tout autre temps.

Au fond, lui seul était à plaindre, puisque seul l'atteignait, pour en transpercer ses lucides yeux, l'aiguë lumière (ah! plus aiguë qu'un poignard!) émanée de l'affreux cauchemar. Et, en outre, n'aurai-je pas toujours présentes, pour ma peine et ma honte, la si adorable candeur et la toute bonté de l'outragée, et qui, comme d'un outrage, s'en voulut de m'avoir rêvé infidèle et criminel!

Une peine lourde encore une fois rouillait ses ressorts naguère actifs et si bien huilés. C'était en lui la fadeur d'une nausée sans cause, un ennui lâche l'aveulissant jusqu'au désintérêt de la vie, l'énervement d'un malaise de l'âme humiliant ses énergies et le racornissant. Sans force pour en souffrir et moins encore pour réagir contre ce tracas nouveau, il s'abandonnait à un vague endolorissement, une molle peine lasse et dégoûtée. Nul héroïsme ne lui soufflait plus la rumeur de batailles et de trompettes qui suit les réformateurs,—nul sursaut de son esprit en ces morbides stagnances du marais intérieur, du sombre marais croupissant que n'éclairait aucun fanal. Et c'était lui qui avait crié à l'iniquité! lui qui pour la femme avait revendiqué le droit de n'être plus traitée comme un bétail humain! lui qui avait osé attenter à l'omnipotente et sacrée infaillibilité du Code!

Cette virulente imprécation le consternait à présent comme l'ingérence frauduleuse en le Lépervié toujours circonspect d'un être de fronde et d'insoumission. Il s'effrayait des conséquences de son article pour les progrès de sa carrière. «Mais c'est un effroyable schisme, pensait-il; tout mon passé récuse de pareilles énonciations; se peut-il que j'en sois vraiment l'auteur? Mais alors, il faut en revenir à l'existence d'un moi contradictoire dans l'être pensant, car je ne pense plus un mot de tout ce que j'ai écrit.» Des écailles lui semblaient tomber des yeux; la thèse maintenant se proposait à lui sous un jour antipodique, suscitait des arguments qui la réfutaient; et il s'avouait le danger d'écrire sous l'éperon des incitations adventices.

Lépervié essaya de réactifs divers. La Chambre à présider, des visites ensuite et des flâneries l'écartaient de la maison jusqu'au dîner, et il se créait encore, passé cette heure, pour ne plus passer les soirs chez lui, des prétextes.

Un revif de constance le ramena à son Cercle, depuis près d'un an délaissé. La musique aussi, surtout l'italienne et la classique, lui persuada l'assiduité aux concerts et aux théâtres. Nombre de magistrats s'y rencontraient, stimulés pour la claire mélodie dont ils exaltaient les vertus, par mépris des nouvelles polyphonies. Comme eux, il opposait avec autorité Rossini et ses rossignolades au dieu qu'un culte moderne érigeait olympien. En la sérénité de cette région idéale, il s'exilait de l'immédiat contact de Rakma.

—Encore un mois de cette vie réfrigératrice, épiloguait-il, et je serai définitivement guéri. Je pourrai alors lui consacrer le seul sentiment dont je n'aie pas à rougir,—une tendre et discrète amitié. Plus tard, elle saura mes luttes pour la mériter par une possession sans reproches, après lui avoir infligé mes humiliants désirs.

Mais une nuit, dans le sommeil de la maison, elle guettait son retour. Trois lourdes heures d'ennui de nouveau le désabusaient sur les avantages d'un commerce avec les familiers de son Cercle. Comme il rentrait, elle descendait le rejoindre en son cabinet où, selon l'habitude, il s'attardait à dépouiller son dernier courrier.

—Comment! toi à cette heure?

Elle s'excusait, un peu nerveuse. Oui, elle l'avait attendu, elle avait à lui parler, elle ne savait comment elle avait eu la force de souffrir si longtemps.

—Mais que se passe-t-il donc? fit Lépervié, soudainement anxieux.

—Ah! mon cœur est brisé!—Et elle se tordait les mains.—Me croyez-vous si détachée que je ne soupçonne pas les causes de votre éloignement?... Je suis entrée ici pour mon malheur et pour le vôtre. Ne dites pas non, je sais que vous me fuyez. J'aurais dû fuir la première, mais je ne le pouvais pas, je n'en aurais pas eu le courage.

Lépervié se dirigeait vers la porte, prêtait l'oreille un instant.

—Voyons, calmez-vous, ma chère... Cette scène m'est très pénible. Je ne croyais pas la mériter. Et puis, songez donc, quelqu'un pourrait nous entendre. N'auriez-vous pu choisir une heure plus propice?

Elle resta un moment sans parler, dardant sur lui les noires instances de ses prunelles; et enfin, d'une voix basse, montée du plus profond du remords et de la douleur:

—Oui, c'était fatal. Je savais que vous me parleriez ainsi. Accablez-moi, vous en avez le droit. Si vous saviez comme je me méprise moi-même!

Mais déjà, subissant l'injonctif regard, il lui saisissait les poignets:

—Tais-toi, ne dis plus un mot... J'étais si loin de prévoir...

—Mais l'évidence est là... Je vous sais malheureux... Je n'ai plus le droit d'habiter sous votre toit. Et j'étais venue, oui, j'étais venue... Oh! qu'il m'en coûte de dire ce mot que je ne puis cependant différer!

—Quoi! fit-il, aurais-tu la pensée de me quitter?

—Il le faut. Vous m'oublierez ensuite. Je n'aurai fait que passer dans votre vie. Tout sera fini.

Il l'attirait sur le sofa, contre lui.

—Tu n'y penses pas. Voyons, ce n'est pas sérieux... Mais que t'ai-je donc fait? Quelqu'un t'a-t-il manqué?

—Ah! si c'était cela! Mais alors, mon ami, je ne vous parlerais pas comme je le fais. J'aurais la force de rester pour expier. Ne comprenez-vous pas que c'est au contraire leur confiance qui me tue? Leur confiance, oui, et aussi—(après une hésitation)—la certitude qu'en vous délivrant de moi, je vous rendrai la paix qui n'est plus en vous. Ah! j'en meurs! Sentez au battement de mon cœur combien je souffre. (Et elle lui remontait la main jusqu'à son corsage et l'appuyait, cette main tout de suite voluptueuse, aux cônes aigus de sa petite gorge.)

—Non, non! s'écria-t-il, oubliant toute prudence, ce n'est pas vrai que je puisse te perdre! N'es-tu pas la petite fée Amour? Est-ce qu'il est possible qu'après avoir goûté de ton fruit, je renonce à en savourer le délice jusqu'à ce que toi-même, pour mon immuable regret—mais plus tard! ah! plus tard!—me le retires des lèvres! Tu ne t'en iras pas! Je sens, à cette seule menace, combien tu es nécessaire à ma vie!

Elle prit sa tête dans ses poings avec un désespoir qu'elle ne semblait plus même tenter de maîtriser.

—Ah! quel déchirement! En moi quel affreux déchirement! gémissait-elle. Je voudrais commander à mon cœur de s'arrêter, ne plus rien sentir, m'en aller dans la joie de vous savoir encore là, avant que de vous perdre.

Tout à coup elle se dressait, s'arrachait à ses mains qui s'égaraient, chaudes et libertines.

—Adieu! Ne me tentez pas. Ce sacrifice, je l'ai résolu. Rien ne peut m'empêcher de l'accomplir.

Mais avec l'emportement de son vieux désir, il la violait de ses baisers.

—Je ne veux pas, je ne veux pas... Comprends donc! J'ai soif de ton cher corps amoureux de femme enfant... du plus secret de ce désirable corps, attiseur de mes luxures.

Elle se défendait mal, essayait de lui dérober sa bouche.

—Laissez-moi... Ah! je vous supplie... Mais c'est lâche! Je partirai... Faut-il que je vous haïsse?

Subitement, comme à bout de force, dépossédée de pudeur et de volonté—comme en un sombre accès de démence qui, aux fenêtres de ses yeux, évoqua une âme violente—elle se pendit à son cou, l'encercla de ses bras fibreux, la nuit de ses cheveux soudain épandue de sa nuque à sa taille, déjà s'offrant—avant que, sous le pillage des mains, il eût mis à l'air sa gorge,—s'offrant dans le déshabillé de son rire prometteur d'une plus décisive nudité.

—Eh bien! prends-moi, possède-moi toute... Et soyons à jamais damnés pour le remords d'un bonheur qui n'aura pas de lendemain!

Au jet de clarté molle du carcel saillit, dans les grises soies de la pénombre, l'aiguë et grêle épaule,—ainsi qu'aux soirs de flambeaux et d'alcôves saillit la fleur d'une plus secrète chair, la fleur chevelue du jardin de sa chair, comme le baiser d'une bouche, la forme du baiser d'une bouche. Elle-même, d'un geste hardi, faisait glisser le long des hanches—(il ne vit pas qu'aucun cordon ne gênait cette manœuvre)—plus bas faisait glisser à ses pieds, au point d'en jaillir nue subitement, comme un marbre sortant des fontaines, les souples et de les étoffes de son peignoir. Et d'un enlacement de vigne humaine, elle lui nouait son jeune corps nerveux en torsade et en ceinture autour du flanc, un corps aux courts seins comme des grappes serrées, dans la torsion de cette vigne dont elle l'insérait.

Puis ils roulaient du sofa sur le tapis; leurs spasmes se choquaient aux meubles; ils ne cessaient pas de se mordre et de râler; et toute neuve, un subit et consternant génie de fille de plaisir, une perversité de courtisane à travers la saveur d'un amour de vierge la révélait mime savante et rusée, mime aux inépuisables artifices pour le supplicier d'affolantes caresses.

Après cette crise radieuse, il succombait, les babines flasques, dans sa petite gorge calme. Il voyait son œil le regarder, attentif, son œil descendre en lui ainsi qu'une sonde, sans remarquer le froid cruel de ce regard tout à coup avec l'oubli des baisers glissant, s'enfonçant.

—Eh bien! dit-il quand il put parler, auras-tu encore le courage de partir?

—Ah! (après un moment de silence) ah! il le faut: nous aurions bien plus de peine à demeurer l'un près de l'autre.

—Non, s'écriait-il avec une passion sincère, tu ne le penses pas. Tu ne peux penser cela. Après un tel bonheur révélé, je ne pourrais me faire à la pensée de te perdre.

Elle secouait la tête, trouvait des phrases posées, très sages, qu'elle lui débitait en continuant à l'observer de son oblique et poignant regard.

—Mon ami, voyons, il faut réfléchir un peu... À présent que je me suis toute donnée, pourrais-je encore vous voir sans honte?

Il lui prenait les mains, se mettait à les baiser.

—Folle! mais n'as-tu pas d'autant plus de droit à mon respect?

—Oui, oui, ces choses se disent!... Et pourtant (très faiblement, comme hésitant devant une telle douleur), peut-être un jour, si je vous écoutais...

—Eh bien?

—Qui peut dire que vous ne me chasserez pas? J'en mourrais!

—Mais je te jure... Oh! par quels serments veux-tu...?

Très vite, elle sortait de sa gorge la petite médaille d'argent, l'appuyait pieusement à ses lèvres et la tendant ensuite vers les siennes:

—Eh bien! baisez-la et jurez... Et que tombent les dents et que s'ulcère la bouche de celui qui, l'ayant baisée, cette image, et ayant juré sur elle, se parjurerait!... Jurez!

—Oui, oui, je jure.

--- Par la Vierge, mère de Dieu (et sa voix se haussait, impérieuse et dure), par la Vierge, la sainte Vierge en son Paradis, aux côtes de Dieu le Fils, sous peine de l'Enfer éternel, jurez.

Il répéta le serment, étonné, ne lui croyant pas cette sombre ardeur de foi.

Et, ensuite, elle se mettait à sourire, lui disait:

—Eh bien! Qu'il en soit comme vous voulez! Ne suis-je pas entre vos mains comme votre chose? Et puis-je encore m'écouter, s'il s'agit de faire votre volonté et de vous rendre heureux?

—Ah! dit-il, il me semble que je vais seulement commencer à t'avoir.

Sur Lépervié, un genou en terre, la tête roulée en sa ceinture, un ironique et dominateur regard, en ses prunelles, subitement éteignait toute amoureuse gaieté.

—Allons, il faut subir sa destinée, se dit Lépervié, à peine dégrisé, en montant se coucher. À quoi bon toujours se défendre, quand on sait que, inévitablement, le résultat de tous ces débats en attestera la superfluité? Au fond, rien ne sert de résister; toujours l'eau suit sa pente. Mais quelle idée de me lier par cette effigie sans efficacité, se demandait-il ensuite, en resongeant aux serments proférés. Attribuerait-elle à ce fétiche ainsi adjuré quelque vertu prophylactique? Cela est tout à fait incompréhensible. Et pourtant...

Il se souvenait à présent l'avoir vue baiser un soir (parbleu! oui, le soir où elle s'abandonna) un objet, ce même objet sans aucun doute. «Il n'y a là rien que de touchant, après tout. La fragile vertu de la femme se rattache à tout symbole des miséricordes.»

Ce jour-là, c'était, en Chambre, un divorce où, pour une concubine sous le toit domestique, les torts du mari paraissaient indéniables. Encore, plaidait l'avocat de la femme outragée, la concubine était-elle dénuée de tout prestige, une mercenaire, une simple bonne à tout faire et qui, en effet, dans ce ménage sans dignité par la faute du chef, faisait tout.

—Oh! s'égaya Lépervié vaniteusement, ce n'est pas mon cas.

Au fond, il ne trouvait pas le mari si criminel; en le grossier aloi du plaisir gisait pour la demanderesse la véritable injure.

D'ailleurs, déclarait le conseil du défendeur, «madame» n'était pas sans reproches. Des scènes violentes, d'autant plus regrettables qu'il y avait dans la maison un personnel nombreux toujours aux écoutes des scènes dont elle était l'instigatrice, déconsideraient l'époux et n'étaient pas faites pour le ramener dans le sentier du devoir.—Ceci, pensa Lépervié, excuserait jusqu'à un certain point le goût de cet homme volage pour une créature qui sans doute, à force de soumission et de bonne grâce, le consolait des avanies dont l'humiliait sa femme légitime.

Il étonna l'assistance par la conduite dégagée qu'il imprima aux débats. Résignant la gravité qui décorait en lui le mandat présidentiel, il se détendit jusqu'à l'enjouement, risqua des saillies, ne dissimula pas une partialité pour l'autorité maritale ravalée en cette aventure.

Sans prétendre absolument que l'homme soit enclin à la polygamie, il échoit des circonstances où le convol (dans le cas d'intimes désaccords par exemple), s'explique s'il ne se justifie. «Ainsi, madame, par ses emportements, fermait à monsieur une porte dont la clef courait grand danger de se rouiller (rires). Monsieur la dérouillait avec sa servante (explosion d'hilarité). On ne peut pourtant pas trop exiger de la nature humaine.»

—«Au fond, se dit-il en reprenant le chemin du logis, tout cela est malpropre et dénonce de la part des classes moyennes, qui pourtant devraient inciter au bon exemple, une corruption surabondante et nuisible pour l'ensemble de la société.» Mais subitement une douce gaieté l'envahit, il se mit à imprimer une succession de moulinets à sa canne: «Bon! voilà le magistrat qui moralise! Et j'ai là pourtant une petite maîtresse qui attend mon retour. Une maîtresse, ah!

oui, la plus folle et la plus charmante! Qu'y faire? tout n'est donc qu'hypocrisie?»

—Hé bien! mon ami, lui demanda sa femme à sa rentrée,—et cette affaire dont s'occupent les journaux? Conte-moi donc!

—Mais, pauvre innocente, une honnête femme comme toi..

—Voyons, je ne suis plus une enfant.

Comme elle insistait, il résuma les plaidoiries.

—Oh! c'est qu'il est scandaleux, ce mari! s'écria Mme Lépervié, dégoûtée par ce commerce populacier.

Il se renfrogna et laissa tomber un mot froid.

—Ma chère, il faut éviter de trop vite juger les gens.

Il avait imaginé un stratagème pour justifier la fréquente présence de Rakma dans son cabinet de travail.

—Ma chère amie, avait-il dit à Mme Lépervié, je suis très absorbé en ce moment par un travail dont je te parlerai plus tard, mais qui exige des recherches et des colligements de textes. Ne pourrais-tu me prêter Rakma pour quelque temps?

Elle n'avait fait aucune objection, et l'institutrice, sitôt qu'il rentrait du Palais, venait s'installer auprès de lui.

—Ah! c'est toi, disait-il en l'accolant. Enfin toi! Et ce sont tes cheveux! C'est ta bouche! Tout ton corps! Mais baise-moi donc!

Il regardait longuement ses yeux, baisait leurs soyeuses paupières, ne savait pas finir de les caresser et de les contempler.

—Figure-toi qu'ils ne me quittent pas, tes divins, tes étranges yeux! C'est par eux que je t'ai aimée, que tu m'as conquis!... Je les ai sans cesse là. Ils viennent au-devant de moi, ils marchent avec moi, ils sont comme toi qui m'accompagnerais et serais partout en face de mes yeux. Et quelquefois, à force de les regarder en moi,—oh! c'est bien drôle!—je ne sais plus bien leur couleur. Mais il n'ont pas de couleur, tes yeux, ajoutait-il en s'exaltant, ils sont de la lumière, ils ont la lumière de ton âme.

Elle haussait imperceptiblement les épaules.

—En ce cas, leur lumière doit bien souvent changer, car mon âme n'est invariable que pour vous seul.

Il se mettait à ses pieds.

—Répète cela, ma petite Rakma, je t'en prie. Oui, répète cela. Pour moi seul, n'est-ce pas? Dis-moi cela encore pendant que je les regarde, ces yeux. Vois-tu, j'étais aveugle. Tu es venue ici, nous ne pensions pas l'un à l'autre. Et puis, un jour, ils se sont posés sur moi. Et je me suis aperçu, ce jour-là, que je ne les avais point vus encore. Mais, alors, je les croyais bien différents de ce qu'ils m'ont apparu depuis.

—Et que vous disaient-ils, mes yeux, alors?

—C'est par trop ridicule aussi! Tu vas te moquer de moi. Ils m'effrayaient, tes yeux. J'y percevais des choses ténébreuses et fatales.

—Et à présent, monsieur, à présent?

—Oh! à présent, je me repose en eux comme en une éternité de volupté et de joie. Ils sont pendus devant moi comme les soleils d'un été glorieux,—de mon été de Saint-Martin! ajouta-t-il en riant.

Elle se levait, s'en allait vers la fenêtre, mimait un geste tragique:

—Des choses ténébreuses et fatales!

Mais tout de suite après, du bout de ses lèvres moqueuses:

—Ténébreuses et fatales! Ah! mon président, je ne me croyais pas, en vérité, si romanesque!

—Moi seul l'étais peut-être, confessa-t-il avec un peu de honte.

Un soir, la lampe allumée, ils s'oubliaient. Habituellement, Lépervié, homme prévoyant, bouchait le trou de la serrure en accrochant, après le tour de clef, sa calotte au bouton. Mais cette fois la précaution avait été négligée. Et tout à coup, comme il la sentait abandonnée entre ses bras, le soupçon d'une robe frôlant la porte le mit debout, écoutant, le souffle arrêté.

—Quelqu'un est là qui guette, lui coula-t-il à l'oreille.

Elle haussa les épaules. Mais non, c'était une idée; il n'y avait personne.

—Oh! j'ai très bien entendu.

Il se rajusta, tourna rapidement la clef. Dans l'escalier, le gaz brûlait par-dessus le vide.

—Je t'assure qu'il y avait là pourtant quelqu'un, fit-il en rentrant dans la chambre. On voulait nous surprendre.

Elle reboutonnait son corsage, sans le regarder:

—Eh bien, après?

Il sursauta.

—Comment, après? Mais tu n'y penses pas! Si quelqu'un était là, comme j'en ai la conviction, c'est sans doute qu'on a remarqué...

—Quoi?

Et elle lui pointait ses fixes prunelles, redressée de toute sa taille en une telle fierté que, sur sa bouche en o, se glaça le mot. Il biaisa.

—Mais, évidemment! Rien n'échappe à l'attention des domestiques, et encore une fois, je l'affirme, il y avait quelqu'un.

—Ah! dit-elle avec mépris, c'est donc que vous craignez pour vous? Vous avez peur que M. le président Lépervié soit soupçonné d'entretenir sous son toit une...

—Tais-toi!—Et il lui imprimait la main aux lèvres.—Ce n'est pas vrai. Si j'étais capable de craindre, ce serait pour toi seule.

Un geste équivoque de ses doigts par l'air le défia.

—Oh! moi!

—Eh bien! oui, toi! fit-il avec passion. Je ne veux pas qu'un outrage même t'effleure. Je te défendrai contre tous, je te défendrai contre toi-même.

—Mais, que vous me défendiez ou pas, en serai-je moins ce que je suis? Une fille perdue, que votre femme aurait le droit de repousser du pied comme la bête malfaisante, chargée des souillures de la maison! Et puis, qu'est-ce que ça me fait, puisque j'ai accepté d'être cette fille!

C'était la première fois qu'elle évoquait avec acrimonie l'épouse, toujours tue par une mutuelle entente. Une sueur perla aux tempes de Lépervié, comme s'il appréhendait à ce seul mot de prochains antagonismes.

—Oh! fit-il tristement, allons-nous déjà nous quereller *à ce sujet*?

Elle secoua la tête, comme accablée d'une peine intime:

—Pardonnez-moi, mon ami. Mais la faute n'est-elle pas un peu à vous? Pourquoi me faire sentir si vivement ma méprisable condition par tant de précautions pour nous la dissimuler! Je ne sais que trop ce que je suis ici, une maîtresse, votre maîtresse, n'est-ce pas? Eh bien! oui, mais au moins ne me faites pas soupçonner que vous pourriez un jour en rougir devant des domestiques.

Il protesta contre cette supposition; mais comment pourraient-ils continuer à se voir sans danger, s'ils ne se surveillaient pas?

—Ah! laissez donc, répondit-elle. Il n'y en a pour moi qu'un seul, c'est que vous ne soyiez pas toujours le même homme pour moi. Tous les autres n'existent pas. Ne vous ai-je pas fait le sacrifice de ma vie?

Le président marchait à travers la chambre, pensait:

—Elle a raison, mais ton monstrueux égoïsme toujours voudrait concilier avec ta sécurité une liaison dont elle seule héroïquement accepte les conséquences. Ah! elle t'aime mieux que tu ne l'aimes; et rien n'est logique que l'amour, si loin qu'il pousse l'oubli de toute prudence.

Il se rapprocha et lui lissant les cheveux longuement:

—Quelle effroyable petite raisonneuse tu fais, dit-il en s'efforçant à la gaieté. Rien ne tient contre ta dialectique! Que pourrais-je te répondre, d'ailleurs, quand tu me parles de ton cher amour?

De nouveau elle arrêtait sur lui ses clairs yeux ironiques.

—Ce serait si simple pourtant. Vous n'auriez qu'à me fermer votre porte. Je ne viendrais plus. Personne ne vous soupçonnerait.

—Renoncer à nous voir!

Et il la reprenait dans ses bras, mangeait de baisers les frisons de sa nuque, lui balbutiait aux oreilles le désir qui, à la frôler des lèvres, lui enflammait le sang. Mais elle délaçait ses mains.

—Non! oh non! Il pourrait y avoir quelqu'un!

Puis, debout devant lui, elle l'humiliait de ce rire:

—Ah! mon président, comme tout cela est ridicule!

Elle ouvrait ensuite la porte et montait l'escalier. «Ce qui est ridicule, pensa Lépervié, fâché, c'est qu'elle me le dise. Mais va, va! tu ne riras pas toujours. Je briserai cette folle petite tête!»

Au bout d'un assez bref laps de temps, il confessa son erreur.

—Oui, se dit-il, cette Rakma est légèrement plus compliquée que je ne le supposais. Mais connaît-on jamais la femme et les profonds replis qui, chez les meilleures encore, déroutent toute certitude! Je l'expérimente actuellement. Rakma me fait l'effet d'un gentil meuble à tiroirs, et sur les tiroirs de qui n'irait pas uniformément la même clef. C'est un ouvrage d'art capricieux et subtil où, sous les ramilles et les entrelacs, le fonds ne s'aperçoit plus très bien. Le pire, c'est qu'on ne sait jamais, quand s'ouvrent les tiroirs, quelles surprises en vont sortir et si, en se refermant, le doigt n'y restera pas pris.

—Or, elle est femme, soit à dire multiple, opina la Voix, sortant pour ce débat d'une longue taciturnité. C'est pourquoi, par tes propres fibres, tu adhères au mécanisme nerveux que, comme un clavier pour toute sorte de musiques, elle utilise à te donner la sensation d'un bonheur d'autant plus étendu qu'il est plus varié. Et tu t'en plaindrais pour sans doute regretter la niaise idylle d'une sentimentalité à conjuguer avec quelque Agnès sentant la pomme verte? Crois-moi, mon cher, il te sera toujours temps, oh! tu y viendras, de concupiscer les petites filles sautant à la corde et montrant leurs petits derrières.

—Ah! comme ce vieux juge Poils-Deransart! se dit Lépervié, amusé à cette idée, sans autrement se fâcher à cette répugnante insinuation.

Rakma, de plus en plus, le déconcertait. L'effrénée maîtresse qui, la veille, dans la crise des baisers, le démolissait d'opiniâtres exigences, tout à coup n'était plus pour lui qu'une étrangère. Elle lui parlait avec hauteur, s'oubliait à des impatiences, l'étourdissait de ses sautes d'humeur.

—J'ai un caprice, lui dit-elle un jour.

Elle voulait qu'il la menât, un midi, en voiture au Bois.

Il se récria. En plein midi! Quelle folie!

—Mais sans doute, une folie! Y tiendrais-je sans cela?

Il dut feindre un malaise pour s'en aller en pleine audience. Comme il arrivait en fiacre au rendez-vous, elle arrêta le cocher et monta.

—Ah! mon chéri, c'est gentil à vous! lui dit-elle en se serrant contre lui. Il me semble que vous ne m'avez jamais mieux aimée.

Dans le bois, ensuite, tandis que la voiture se rangeait à l'orée d'un carrefour, ils se jetaient à travers les taillis. Elle pesait à son bras, il lui enlaçait la ceinture, ils marchaient à petits pas, s'arrêtant pour écouter le friselis du vent, le pépiement des couvées, la respiration amoureuse de la terre.

—Comme on est bien ici! disait-elle, on respire... Ce n'est pas comme chez nous! Ah! vous devez me trouver bien enfant, n'est-ce pas?

—C'est singulier, pensait-il, je le suis encore plus qu'elle. Pour un rien, il me viendrait des larmes aux yeux.

Il lui remarquait un charme d'ingénuité et de langueur qui la changeait. Son être fibreux et inquiet, brûlé de volonté et de passion, comme un volcanique et noir été, se détendait, en ce vernal paysage innocent, à un printemps de sensations fraîches où encore une fois c'était une autre femme qui apparaissait à Lépervié. La mobile clarté des feuilles or et céladon satinait sa peau aux matités sèches; un orient mouillé vaporisait les sombres joyaux de ses iris.

—Mais c'est de l'idylle, se dit-il. J'ai l'air de Némorin.

Et, se prenant à rire:

—Figure-toi qu'à dix-huit ans, une fois, avec une petite modiste... C'était ma première passion... Il faisait clair soleil comme à présent... Nous allions par les mêmes allées...

Une songerie évaguait les prunelles de Rakma noyées de souvenir.

—Ah! fit-elle sans intérêt pour cet aveu.

Puis, d'une voix singulière, avec un peu de la musique d'un air lointain en un chantonnement parlé:

—Il y avait une fois une petite fille au bord d'un grand fleuve, dans des jardins merveilleux... C'était moi. J'étais une petite singe... De petits singes aussi autour de moi, les hommes et les femmes de cet étrange pays... Dansez, Rakma, au bruit des fontaines et des instruments en bambou... Puis, je ne sais plus, c'est une très vieille histoire.

Sa bouche se pinça. Des fibrilles mauvaises s'irritèrent en ses yeux:

—Ah! oublions cela! la petite singe est morte! Finie la romance! Il n'y a plus ici qu'une fille qui vit dans un cimetière... Baisez-moi, mon président chéri.

—Positivement tu m'effraies, dit Lépervié, ennuyé de sa versatilité.

—Déjà?

Un hêtre énorme barrait de son fût lisse une coulée de ciel. Entre ses puissantes nervures, les terreaux s'excavaient, creusant comme un renfoncement d'alcôve.

—Voyez donc, s'écria-t-elle. D'autres peut-être se sont aimés là!

Elle se laissa tomber. Il vit saillir sous sa robe la boucle de sa jarretière—d'autres boucles, comme des yeux diaboliques, aussi peut-être avaient flamboyé là!—Le sang en fusée aux tempes, dans un vertige de passion, aussitôt il lui dégrafait le corsage, baisait sa gorge, ensuite oublia toute prudence, en ce bois plein de passants, à la posséder toute chaude du grand soleil glissant jusqu'à eux à travers le crépuscule vert des branches—à la posséder comme un très jeune homme des forêts, ou quelque pâtre,—lui, se pouvait-il, le vertueux président Lépervié?

Ils durent marcher pendant un quart d'heure avant de retrouver leur voiture; et enfin, à la tombée du soir, leurs corps balancés l'un contre l'autre sur les coussins, ils regagnaient la ville.

Il eût voulu baisser les vitres, par crainte d'une rencontre.

—Mais non, c'est bien plus amusant, se récria-t-elle, avec un petit rire nerveux. Quelqu'un pourrait nous reconnaître!

—Ah! pensait Lépervié en resongeant à une idée que l'*autre* lui avait soufflée, ce n'est pas elle l'instrument, mais bien moi. Et elle s'entend à le faire vibrer d'un doigt ailé, d'un poing lourd,—comme une viole et comme un gong. Je suis cela, je suis cet instrument.

Il n'allait plus au théâtre, délaissait son Cercle. Entre sa femme et Rakma, sous la lampe des longues veillées,—car l'automne était revenu,—dès le tintement de dix heures à la pendule, il luttait contre un sommeil qui lui cassait la nuque et pochait ses yeux, la stupeur d'un coup de maillet à petites fois le cognant au cerveau.

—Voilà que de nouveau tu t'alourdis, lui disait Lydie. Tu devrais reprendre ton habitude ancienne et sortir.

—En effet, confessait-il, je ressens comme des fourmillements dans les reins et l'échine. Le grand air me ferait du bien.

Mais un regard de Rakma lui enjoignait de demeurer: il n'osait pas lui désobéir. C'était, depuis ces derniers mois, avec la crainte constante de ses caprices, une soumission passive, sans réplique. Ah! son empire sur lui était trop rigoureux aussi! Il le pensait, mais sitôt qu'elle commandait, toute énergie fléchissait, il se courbait, esclave de l'amoureux despotisme qui, par cet œil magnétique, lui intimait l'ordre d'abroger toute volonté en dehors de son unique vouloir.

Il arrivait à ne plus agir, encore moins préméditer quelque résolution sans, d'un instinctif détournement de la tête vers elle, consulter l'impératrice de ses destinées.

Elle, toujours présente (lors même qu'éloignée) dans l'atmosphère de la maison, promenait ses airs taciturnes de sphinge à travers la Famille, en apparence irréprochable, comme revêtue des droits de la juste épouse à côté de l'autre—seulement tolérée par un pacte tacite. Et le pis, c'est que ce faible Lépervié, autrefois si autoritaire, s'avérait la domination grandissante de l'être de dol et de péché que sa complaisance invétérait dans leur intérieur. Lucide par passades et affligé d'un reste de scrupule, il se rendait compte des iniquités consenties par son aveugle passion, mais sans plus récriminer ni rien tenter pour y mettre fin. Comme un porc noué pour le sacrifice, les cordes lui liaient les quatre membres, il se sentait jugulé et enchaîné sans nul espoir de détourner l'éclair des couteaux suspendus en ce regard qui sur lui concertait la honte et la mort de toute résistance.

«Me voilà, constatait-il simplement, dans le cas d'une bigamie légitime. Le problème est résolu pour moi de posséder deux cœurs et de les fondre en une seule et égale affection. La passion et le devoir à présent se sont combinés dans la bonne tenue bourgeoise d'un ménage au-dessus du soupçon. Mon roman s'endigue dans une prose coutumière et uniforme. Cela m'ôte du moins (si c'est moins poétique) tout sujet de m'inquiéter pour l'avenir.»

En famille donc, les pantoufles aux pieds, il éternisait ses maussades soirs, s'abreuvant de thé, s'ingérant la littérature frelatée des livres que Rakma lisait à Mme Lépervié. Mais, invariablement, le somme tenace, en revenant le supplicier, attestait la déchéance de son corps surmené par de constants excès. Il se levait, descendait absorber la nuit fraîche du jardin, puis de nouveau la chaleur de la chambre l'accablait. Il se pinçait les bras, s'agitait, se contraignait à lire un journal qui, bientôt, lui échappait des mains et sur lequel son crâne lourd battait par saccades automatiques. Enfin il s'éveillait en sursaut, la bouche poissée, roulant les bulbes effarés de ses yeux. Rien ne pouvait conjurer la torpeur qui, à cette heure peu avancée, lui coagulait les veines, minéralisait sa pensée. Et sous l'œil ironique de Rakma, il avait la conscience d'un irréparable ridicule.

—Mais va donc te coucher, mon ami, lui dit un soir sa femme. Le sommeil t'accable.

Il lui parut qu'elle aussi se moquait. Alors il s'emporta déplorablement, s'en prenant à Lydie du regard que Rakma attachait sur lui, comme un cruel moxa, et qu'il n'osait plus regarder. Est-ce qu'il n'était pas maître de dormir si bon lui semblait? Vraiment, les femmes sont d'une imbécillité! Et tout à coup un éclat de rire monta, le rire de Rakma qui faisait cause commune avec Mme Lépervié.

—Oh! M. le président qui se fâche parce qu'on l'envoie au lit?

—Eh bien! j'y vais, au lit! s'écria-t-il rageusement. Aussi bien, pour ce que vos lectures m'intéressent!

—Une chambre, dit le président en passant devant le garçon d'hôtel.

Par les tapis de l'escalier, le garçon, un cliquetis de clefs aux doigts, le précédait, enjambant deux marches à la fois.

Ensuite, tous deux à la file s'insinuaient dans un long couloir sur lequel s'ouvraient des portes à numéros. Et la clef tournait dans une serrure, une grande lumière tombait des fenêtres sur Lépervié qui, en entrant, tout de suite s'apercevait dans la glace, son chapeau sur la tête, sa canne à la main, la tenue d'un voyageur sérieux. Puis il promenait son regard dans la chambre, avuait le lit exigu, avec son unique oreiller sur le traversin.

—Oui, ceci pourrait convenir pour ma sœur, dit-il. Mais avez-vous pour moi une autre chambre communiquant avec celle-ci?

—Parfaitement, monsieur. Il n'y a qu'à ouvrir cette porte.

Le garçon reculait une table, détachait du trousseau une clef avec laquelle il fouillait le pilastre. Il s'effaçait ensuite pour laisser passer le président qui faisait quelques pas dans cette seconde chambre, déposait sur la table son chapeau, et tourné vers lui, sans le regarder, donnait ses ordres:

—Ma sœur viendra dans un instant, vous la ferez monter. Comme nous arrivons de loin, nous prendrons un peu de repos. Mais avant tout vous nous ferez servir à déjeuner.

La tête du garçon se modifia. Lépervié sentit qu'il l'observait, et que, dans ce visage plat (mais il évitait toujours de le regarder en face) un pli à la bouche dérangeait l'antérieure symétrie de basse servilité.

—Ah! il faudra faire monter la sœur de monsieur, dit ce drôle. Et monsieur et madame comptent déjeuner? Alors je vais appeler le maître d'hôtel.

—Que de complications! pensa Lépervié, ennuyé par cette pénible et diffuse comédie.

Puis un doigt cognait la porte; le maître d'hôtel, un gros homme en frac, la serviette au bras, rigide et blême entre ses favoris longs, rapidement le feuilletait des yeux comme un carnet d'identité, et ensuite planté sur ses larges escarpins:

—Monsieur voudrait à déjeuner pour madame et pour monsieur?

Ils arrêtaient ensemble le menu:—des écrevisses, des côtelettes, du foie gras et du champagne. Et tout à coup Lépervié s'avisait, sur ce visage d'homme gras, du même imperceptible pli à la bouche remarqué chez le garçon.—À quoi bon ruser avec de pareils coquins! se dit-il humilié, quand sur les basques de l'habit et la serviette eût retombé la porte.

Mais celle-ci, comme il enlevait son pardessus, se rouvrait, et, les yeux baissés, cette fois, obliquement baissés en le visible dessein de ne se départir de la plus stricte discrétion, le frac noir demanda si monsieur ne désirait pas du feu.

—Oui, sans doute.

Il s'aperçut que, depuis l'entrée de cet homme dans la chambre, il n'avait fait que subir ses ordres, en lui fournissant des évidences pour le soupçon d'une bonne fortune. Le déjeuner, ainsi combiné, avec ses mets salaces et émoustillants, attestait l'inanité de son vertueux mensonge aux yeux de ce ministre des sournois plaisirs de la province débarquant en un espoir de bordées clandestines. En effet, l'hôtel avoisinant une gare, il l'avait choisi exprès pour donner crédit à sa fraude. Mais elle échouait dans les clairvoyances d'un personnel rompu aux méandreuses turpitudes de l'hypocrisie bourgeoise.

Enfin, elle arrivait, une double voilette sur les joues, si furtive que nul doute ne pouvait subsister sur leur commun libertinage. Une chambrière, à croupetons devant le poêle, luttait contre l'humidité des margotins crépitant à travers des ballons de fumée. Il lui tendit la main cérémonieusement, avec un signe des yeux vers cette domestique qui s'attardait, comme pour étudier leur manège.

—Mais qu'est-ce que ça fait? s'écria Rakma. Est-ce qu'on ne sait pas ce qui se passera quand la porte sera fermée?

Il redoublait ses avertissements, à mi-voix:

—Tais-toi donc... On croit que tu es ma sœur.

La démesurée sottise du président l'amusait tout à coup si follement qu'elle se mettait à rire, en haussant les épaules.

—Ah! que c'est bête! que c'est bête!

Le feu à la longue flambait, la fille les laissait, et avec des heurts mous contre la porte à chaque service, un nouveau garçon leur montait le déjeuner. Mais il s'obstinait à dévisager Rakma, comme s'avisant d'une ancienne connaissance, et Lépervié, déjà énervé par l'équivoque maître d'hôtel, s'irrita.

—C'est insupportable, à la fin! On se croirait, ma parole, dans un mauvais lieu. Ces gens d'hôtel ont une façon de vous regarder! Ils ont toujours l'air de vous prendre pour ce qu'on n'est pas!

—Mais, mon ami, pour quoi donc voulez-vous qu'ils nous prennent?

Et, vidant d'un trait un verre de champagne:

—Et puis, dites donc, est-ce que nous sommes vraiment de si honnêtes gens que ça! Mais je ne serais pas ici si j'étais une honnête fille! Et vous-même, mon président (d'une voix qu'il ne lui connaissait pas et qui, subitement, avec une mutinerie de passion, cajolait son vice), n'êtes-vous pas un affreux perverti?

—Oh! oh! se récria-t-il, comme vous y allez, ma belle! Ce serait bien plutôt à moi à trouver que... Mais oui, sans doute...

Leurs épaules par dessus la nappe se touchaient. Sur le côté, ils se regardaient, amusés par l'air de franche débauche régnant en ce huis-clos nuptial.

—Oh! moi! fit-elle d'une voix lente, appuyée. N'est-ce pas pour votre plaisir que je suis *cela*!

Et, brusquement, elle lui sautait sur les genoux, se roulait entre ses épaules.

—Mais, traite-moi donc en fille, *puisque aussi bien tu le veux*!

Elle lui prenait ensuite la tête entre ses mains, infusait en ses yeux un fluide qui l'aimantait au désir de la brutaliser.

—Puisque tu le veux! répétait la Voix en lui, avec autorité.

Alors il la déshabillait, la renversait parmi les verres et les plats. Mais le garçon poussait la porte et, dans le sac de la table, sous le déclin de la lumière, constatait le stupre. Elle jetait un cri, le garçon s'esquivait, Lépervié mollissait, interdit.

—Maintenant, dit-elle en riant, ils savent que je suis une catin! Ah! c'est bon, le mépris!

Une terreur, dès ce moment, ravagea le président relativement à leur sortie de l'hôtel. Il se figurait arrêté au bas de l'escalier par le propriétaire de ce caravansérail, contraint d'essuyer des reproches (et peut-être quelqu'un le reconnaîtrait). Enfin, la nuit tombée, avec le vacillement des deux bougies de la cheminée dans la chambre triste, il sonnait pour l'addition. Une évidente supercherie, contre laquelle il n'osa protester, tripla le prix du déjeuner. Et, quand ils descendirent, le salut narquois du maître d'hôtel lui coula dans la nuque, sous le col relevé très haut, la malsensation de se ratatiner sur un gril ardent.

—Ne raisonnons pas; au contraire, fuyons tout raisonnement, se dit Lépervié en repensant à cette après-midi agitée. Mais il est certain que le plaisir, lanciné d'un peu de péril, en devient plus aigu. Une pointe de corruption, en outre, lui sert joliment d'adjuvant, oui, une subtile immixtion de déshonnêteté, comme un condiment rare. Et vraiment cette diabolique fille régit avec un art tout byzantin ce qui, sans cela, confinerait aux basses œuvres de la chair. Mais quel sens de l'amour, supérieur à la banale vertu, l'égale aux filles damnées pour si miraculeusement brasser en toi, ô roquentin de Lépervié! les lies folâtres, les remous de tes concupiscences? Et quel prodige est-ce donc que la femme, puits d'insondables cynismes sous les lianes fleuries, alambic où les bourbes humaines se décantent et distillent un délice de paradis?

Pour éperonner son usure, elle lui inocula des ferments redoutables qui l'activèrent comme des philtres. Ils eurent recours aux expédients d'un méthodique libertinage. L'aléatoire décence de l'hôtel où ils s'étaient d'abord rencontrés fut délaissée pour des logis hasardeux, de misérables chambres d'auberge souillées par des passages réitérés. Là, ils étaient plus libres, plus dégagés de leur condition sociale, ils goûtaient une sombre joie de ravalement. À présent, d'ailleurs, sous le prétexte d'une parente valétudinaire dans une banlieue, Rakma, plausiblement, multipliait ses sorties. Ils se rejoignaient en un quartier écarté, puis vaguaient à la recherche d'une enseigne. Presque toujours la vénalité de la maison se dénonçait à la douteuse mine des fenêtres décorées de rideaux pisseux et l'enfoncement d'un obscur couloir où montait en pas de vis l'escalier. Ils y pénétraient ensemble, requéraient une chambre dont une souillon dépeignée, ensuite, sous leurs yeux, hâtivement opérait la toilette, arrachant au lit des draps encore gluants pour y substituer des lessives moins repoussantes.

Lépervié, dans ces endroits voués à de fortuites copulations, renonçait maintenant à tout mensonge. Il n'échafaudait plus de laborieuses supercheries (du reste inutiles) pour atténuer d'un soupçon d'honnêteté le dessein foncièrement impudique qu'en utilisant l'abri au prix d'un tarif variable, ils préméditaient d'accomplir. Une odeur de sexes souvent se volatilisait des fauteuils, du tapis et des matelas, comme le fumet des holocaustes perpétrés entre ces murs resserrés. Le papier de tenture, vers la ruelle, en outre s'était imbibé de mouillures de corps. D'huileuses crasses, impliquant des contacts gras, avaient l'air de resuer la honte des murs, complices de ruts innombrables. Au lieu de l'écœurer, cette sale réalité l'incitait à de maladives luxures, habituel phénomène de l'éréthisme sénile soustrait à la loi naturelle et qu'actionne un prestige extérieur.

—C'est bien moi, le président Lépervié, réputé pour ses mœurs exemplaires, se disait-il en retournant dans sa plaie d'inconduite la torve lame de cette ironie poignante jusqu'à la jouissance,—c'est moi qui me risque en ces bordeaux mal déguisés, moi qui pollue mon emblématique hermine en ces lits sécrétant de récentes débauches, moi qui déchois jusqu'à l'ignominie de me voluptueusement vautrer en ces linges où d'horribles couples ont râlé leurs spasmes! Quelle incurable nostalgie de la fange, quel amer appétit de turpitude, quel goût de mensonge nous fait renifler avec transport l'universelle pourriture et resserrer ensuite plus étroitement à nos faces le masque plane de la bonne conscience!

—Et demain, monsieur le président, lui disait en riant l'ouvrière de perdition (avec ce don de lire dans sa pensée), demain, dans ce palais dont vous êtes l'une des lumières et des vertus, on vous saluera bien bas; le regard des galeuses ouailles baisera le bout traînant de votre robe pour attendrir le sévère magistrat qu'elle vêt; votre souveraine autorité prononcera les paroles qui lient et qui délient!

En effet, après ces bordées, il recouvrait, aussitôt qu'il coiffait le mortier présidentiel, une gravité de manières et de discours qui, de sa coquinerie de vieux ribaud coriace, faisait remonter le pharisaïsme du juge aux probes apparences, de l'intègre juge préposé aux défaillances et aux opprobres de la commune humanité.

Certain malaise d'abord l'avait titillé. C'était quand, le visage vergeté de verts et rouges vermicels, la chair toute ratatinée de fièvre, il réintégrait le logis conjugal, mal détergé des souillures de l'hôtellerie, gardant encore aux habits, avec une autre odeur, tenace et poivrée, le faguenas des chambres où avaient suppuré des suints d'amour. Il n'osait pas embrasser sa femme ni ses enfants tout de suite; il avait le sentiment de corrompre l'air sacré de la maison; un dégoût lui remontait à la gorge en nausées pour la mauvaise action honteuse.

Pour obvier à cet ennui, il prolongea ses absences, ne rentra plus qu'à la nuit. Comme un larron, il montait sans bruit l'escalier, ouvrait la porte de la chambre avec la peur de l'entendre crier, se coulait ensuite dans les draps contre l'honnête femme qui, mal endormie, se réveillait et dont il ne savait pas éluder les tendres bras noués à son cou. Mais Rakma suscita une explication. Elle le railla, s'emporta contre sa pleutrerie, mit en parallèle la force qu'il lui fallait à elle-même pour dissimuler. Et cette fois encore, il renonça, jugea la résistance inutile.

Maintenant, après qu'ils se quittaient, il ambulait quelque temps par les rues, pour éviter une coïncidence trop flagrante dans leurs heures de rentrée. Sous le fouettement des neiges, les fines lances des guilées et les grésilleux brouillards, il s'attardait le long des réverbères. (Ah! ce supplice des picotements froids épinglant sa chair douillette, blétie au feu des baisers!) Enfin il sonnait, rapidement s'inspectait dans la glace du vestibule; et ce miroir qui, les premiers temps, lui infligeait le remords de son visage coupable, demeurait à la longue sans reproches pour l'accoutumance de la faute. Il allait à sa femme, ses enfants se pendaient à ses épaules, il n'éprouvait plus qu'un ennui obtus, indolore. Mais seulement la présence de Rakma, si brusquement elle survenait, l'énervait comme d'une sourde irritation et de quelque invincible répulsion pour sa personne.

Hermétique et noctuaire, les sombres reluisances de ses prunelles seules éclairant les pâleurs de son douteux visage, elle lui plongeait jusqu'au cœur un lourd et bref regard ironique, négligeait ensuite de prendre attention à lui, et irréprochable, murée dans la nuit de son âme, n'était plus, parmi les lumières de ce tableau de famille, qu'une autre lumière, une lumière qui se tenait sous le boisseau et qui, si elle eût éclaté, eût jailli pourpre vers les plafonds, comme les soufres et les poix de l'effroyable bûcher que cette saturnienne fille attisait de son hypocrisie et de sa dépravation.

Puis l'habitude altéra ces suprêmes mouvements. Il ne ressentit plus qu'une détente, l'opiacé bien-être de plonger aux lénitives eaux de ce Léthé domestique. Cette paix, par contraste, lui ingérait après les phosphores bus et évacués, des bromes réparateurs. Heureusement, pensait-il, en se retenant de crier aux électriques serpents qui lui sillaient l'échine, heureusement le sentiment de mes devoirs de père, sinon d'époux, reste en dehors de toute atteinte. On me mettrait le cœur sous un pressoir que cela encore demeurerait incompressible à travers la dernière goutte de mon sang!

Mais nulle épreuve (en vérité nulle épreuve) ne devait être épargnée à Lépervié, dans son humiliant et rigoureux calvaire. Un soir que, exceptionnellement, le mauvais amour les avait attardés jusqu'aux approches du minuit, il s'étonna—(sa femme encore lisait sous l'abat-jour de la lampe)—d'éprouver les poussées d'un sentiment ingénument infâme. N'était-ce pas la joie cauteleuse—et peut-être l'orgueil (en d'autres temps il eût voulu définir cette nuance, mais à présent il récusait toute délibération) de la tromper avec sécurité sans que sa confiance en eût seulement été ébranlée? «Quel parfait comédien je suis! pensait-il. Quel arsenal de ruses indémenties mon astuce a su se fourbir!» Ah! c'était aussi une subite et si extraordinaire reconnaissance pour l'aveugle foi dont elle s'obturait les yeux qu'il ne savait plus par quelles marques l'attester. Même s'oubliant, il s'abandonnait à des caresses plus persuasives quand, tout à coup, il constata qu'il pensait à l'autre:

—Oh! se dit-il, mais c'est abominable. Voilà que je ne sais plus la respecter et que j'en arrive à les confondre toutes deux en un radical oubli de ce qu'elles sont l'une et l'autre pour moi!

Une après-midi, ils enfilaient, en une rue famée pour ses trafics charnels, le couloir d'un garni chétif avoisinant de borgnes musicos et d'hétéroclites posadas. Et c'était l'habituelle question de Lépervié: «—Avez-vous une chambre?»

Mais un calcul nouveau de Rakma, depuis peu, pour un plus faisandé ragoût, leur persuadait de s'approprier la mine décente et rassise d'un couple légitime, égaré en de douteuses cantines.

—Avez-vous, pour ma femme et moi, une chambre jusqu'à ce soir? Nous venons de loin et sommes fatigués, répéta Lépervié à un petit homme pâle et débile qui le regardait et n'avait pas eu l'air de le comprendre d'abord. À peine le président l'apercevait dans le crépuscule qui régnait en ce boyau, mal éclairé d'un jour de fond où la malingre silhouette, sans doute le tenancier de ce gîte, se pénombrait.

—Monsieur ne se trompe pas? interrogea l'hôte au bout d'un instant. C'est bien ici que monsieur croit être?

—Mais sans doute, répondit Lépervié, étonné surtout d'un certain regard de l'homme.

Alors celui-ci eut comme un mouvement résigné des épaules, les invita à le suivre et, grimpant devant eux, les conduisit à une chambre dont la porte béait sur l'incontestable désordre d'un lit récemment évacué. Une cuvette à terre, près des serviettes en tampon, avait débordé en une flaque humide sur les roses décolorées de la carpette, parmi des peignures et des bribes de lettres lacérées. Et, par la fente des rideaux clos, un rais de trouble lumière filtrait, glissait à travers la bousculade des meubles, attristant encore le dénuement de ce réduit indigent. Un inhabituel dégoût fit hésiter le président; mais derrière lui, avec un rire, Rakma insistait.

—Nous serons très bien ici.

Il fit un geste d'acquiescement et ne songea plus qu'à observer l'homme dont le regard, encore une fois, louchait dans la clarté à présent plus vive des rideaux levés.—(En des yeux incolores et diffus de fiévreux, un triste, un bizarrement triste et distant regard, comme monté d'une destinée malheureuse et qui, sur ce visage glabre, aux joues vieillottes et secouées par moments d'une toux, avait la douceur humble d'un reproche ou d'un regret pour un immérité outrage).—S'efforçant à une activité que démentait son corps miné, le pauvre diable vidait les eaux, renouvelait les draps du lit, régularisait le mobilier; mais chaque fois qu'il traversait la chambre et passait devant le président, ses indéfinissables yeux atones (ses yeux de malade regardant derrière la vitre brouillée d'une salle d'hôpital), se levaient,—et leur craintif regard affligé.

Lépervié à la fin ressentait un malaise, comme l'ennui imprécis d'être deviné par ces yeux obstinés. Et en même temps, tout au fond de lui, comme en le recul d'un miroir, ressuscitait la trouble ressemblance d'un pareil visage, connu ailleurs.

—Oui, pensait-il, plus je l'étudie, plus il me paraît évident que cet individu ne m'est pas inconnu.

Une dernière fois, l'oblique visage s'arrêta devant lui, et il souffrit le très réel mal physique de deux yeux térébrant ses propres yeux comme pour un appel à un temps mémorable. Puis l'homme, sans une parole, s'effaça vers la porte; la chambre autour d'eux retombait à l'isolement.

—Qu'avait donc ce faquin à me regarder avec cette attention? se demanda tout haut le président. Son regard, loin d'être malveillant, se fixait avec tristesse sur moi.

Il eût voulu s'expliquer le motif de cette tristesse; mais aucune raison plausible ne la justifiait, encore moins le louche milieu où s'exerçait l'industrie de ce véreux négociant.

—Non, dit-il à Rakma qui, la robe tombée, le corset dégrafé, lui nouait ses bras au cou pour qu'il la portât au lit,—non, je n'ai plus le cœur à la joie, c'est comme si quelque malheur m'attendait.

Elle haussait les épaules.

—Vous avez rêvé, mon cher. Cet homme nous a regardés, eh! sans doute... Mais avouez-le, la présence, en son taudis diffamé, de personnes honorables comme nous—ah! évidemment honorables, n'est-ce pas!—est bien faite pour le surprendre.

En chemise, collée à lui de tout son corps, elle l'attirait vers les draps, avec des appels gentils:

—Mais viens donc, petit mari! Ne vois-tu pas que ta petite femme est toute gelée?

Il s'insinuait enfin sous les couvertures; et les ruses de l'être de plaisir, fertile en toujours neufs et actifs stratagèmes, de nouveau se l'adjugeaient. Mais bientôt il retombait, croyait voir par la chambre errer les pâles yeux tristes, et elle avait beau lui proposer les excitantes et inédites attitudes de sa nudité, il secouait la tête avec ennui.

—Vois-tu, son visage m'est connu. Lui-même a paru retrouver en moi une ancienne connaissance. Mais en quel lieu? Ah! en quel moment? répétait-il, au point d'en fatiguer Rakma, qui, dépitée, excédée de ses rabâcheries, finit par sauter du lit et passer ses jupons.

En descendant, ils retrouvaient dans le couloir le petit homme malingreux dont plus tristement il sentait s'appuyer le regard. Et il lui réglait le loyer de la couchée, en mettant cette fois toute sa volonté à éviter ce regard, comme si du choc dût résulter une pénible certitude. L'hôte les saluait d'un merci mâché dans une toux et les accompagnait jusqu'au seuil. Aussitôt Lépervié doublait les enjambées, traînant à son bras Rakma qui de nouveau se fâchait et lui reprochait ce trac stupide. Au bout de la rue, il se retournait, apercevait à la même place, sur le pas de la porte, les deux yeux pâles tendus vers leur départ.

—Mais je connais cet homme, je le connais! s'écria-t-il, tourmenté de plus en plus par l'inutilité de son effort pour se remémorer leur rencontre.

Enfin, la nuit tombée, ils se quittaient. Rakma se jetait dans des rues qui la rapprochaient de la maison; il demeurait à arpenter les trottoirs. Alors, plus irrésistiblement, il se sentit porté à fouiller dans sa mémoire, repassait des périodes reculées (mais en quel temps? en quels lieux?), et il ne cessait pas de voir l'homme aux yeux de reproche et d'ennui, regardant au fond de lui, comme avec le *regard de la conscience.*

Une horloge sonna huit heures. Il constata qu'il y avait près de deux heures qu'il marchait. À présent, la table était desservie, sa femme ne l'attendait plus. D'ailleurs, l'idée de se retrouver parmi les siens avec Rakma, lui rétractait la paume des mains. Il alla à son cercle, y soupa, tâcha de s'étourdir en d'oiseuses controverses. Mais une pesanteur l'alourdissait comme le pressentiment maintenant plus évident d'un désastre. Et, en outre, des idées confuses le traversaient, en un travail sourd de son esprit qui, ensuite, se formulait dans ce mot précisant une sensation déjà perçue et qu'il se disait en lui-même, en endossant son pardessus vers minuit, pour rentrer:

—Oui, cet homme me regardait comme avec le regard de *ma propre conscience.*

—Palabres! Palabres! riposta l'autre Lépervié.

Le président referma la porte et accrocha la chaîne. Et tout à coup il se sentit enveloppé dans le grand silence noir de la maison. Comme de ténébreuses et souterraines ondes, il s'épanchait dans le vide des murs, croulait du profond des escaliers,—ce silence égal à la rigide paix sépulcrale et que redoublait la nuit hermétique du vestibule.

—On m'aura cru rentré; le domestique aura éteint le gaz. Oui, se dit-il, ce ne peut-être que cela; il n'y a pas d'autre raison.

Il fit quelques pas; mais une telle solennité, une si lourde et si mortuaire solennité accablait l'air torpide qu'il tressaillit, secoué d'une peur nerveuse à l'idée ridicule que quelqu'un avait pénétré dans la maison et se tenait caché pour le frapper.

—Encore une fois mes nerfs! Rien n'est plus puérilement invraisemblable, et pourtant je me sens la mort aux os.

Il demeurait un moment à écouter; il n'osait plus avancer. Nettement il se voyait couché dans son sang sur les marches; les matinales clartés baignaient son visage livide; sa femme et ses enfants accouraient aux cris des bonnes; à ses joues lapidifiées, à ses inertes joues de cadavre brûlait le feu de leurs larmes et de leurs baisers.

À tâtons, enfin, il se guidait vers la rampe de l'escalier, se mettait à monter en étouffant le bruit de ses pas. Mais d'autres pas, étouffés aussi, venaient à sa rencontre, du fond des ténèbres. Le cœur bondissant, il s'arrêtait et l'assassin s'arrêtait comme lui. De nouveau ensuite, degré à degré, lentement, en se retenant aux balustres, il montait. Et subitement, entendant recommencer au-dessus de lui la marche invisible, il vit deux yeux pâles qui, dans la nuit.—oh! plus pâles et plus tristes encore, chargés de muettes implorations, comme le suppliant de ne pas avancer!—le regardaient s'approcher, toujours plus se rapprocher de l'inévitable moment où allait s'accomplir sa destinée.

Cependant, il lui était impossible de proférer un cri; ses dents imbriquées crissaient d'effroi: il n'osait plus mettre un pied devant l'autre. Au bout d'un instant—pourtant il se croyait là depuis une éternité—une pendule, presque à son oreille, de l'autre côté d'une porte, émit sa vibration métallique. Il fit un effort, tendit la main, tourna précipitamment la poignée.

Une veilleuse, dans sa cloison de porcelaine, brûlait sur la paix de sommeil régnant en la chambre. Il aperçut, roulé au creux de l'oreiller, le tranquille visage dormant de son fils.—Ah! se dit-il, encore frémissant, quelle affreuse hallucination! Vais-je devoir vivre avec de pareilles terreurs? C'était moi-même qui m'entendais rentrer! C'était ma mauvaise conscience qui venait au-devant de mes pas!

Maintenant l'exaspération de ses nerfs fléchissait, une détente de son être bandé dans l'effroi des visions le rendait faible comme un enfant. Il regardait la chambre, le lit, cette forme endormie, comme avec des yeux attardés de songe (avec les yeux d'un homme meilleur et purifié par le malheur).

—Cette chambre! murmurait-il, ta chambre, ta chère chambre de jeune homme—ta chambre qui est toi aussi, ta douce chair presque encore enfantine!

Et ensuite il se penchait, baisait ce front charmant à travers ses boucles brunes, gémissait:

—Guy! ô mon Guy! mon fils!

L'enfant, sous les larmes chaudes qui lui mouillaient les tempes, ouvrait les yeux.

—Qu'as-tu, père? Est-il arrivé quelque chose?

—Non, répondit-il en le serrant dans ses bras. Je rentrais; j'ai pensé que tu étais malade... je ne sais plus pourquoi. Mais ce n'est rien... Va, rendors-toi, mon petit Guy. Et surtout ne dis pas, ne dis rien à ta mère. Vois, c'est fini, je ris déjà!

—Oui, adieu! Oh! tu sais bien, Flochet, le préfet... Eh bien! il avait une tête de... oui, la tête de...

Mais le sommeil de nouveau l'évanouissait: la bouche déclose en un sourire, un grand sourire qui finissait par lui remplir tout le visage, il repartait aux régions de l'inconscience heureuse.

Lépervié, sur la pointe du pied, s'en allait jusqu'au cabinet voisin où dormait Paule. Un instant il se courbait vers les humides œillets roses de ses lèvres; mais sur le point de les baiser, il avait un mouvement—(non, pas sur de telles lèvres ma bouche chaude encore d'autres lèvres)!—et le frôlement de ses favoris descendait dans la tiédeur du petit corps sous les couvertures, allait mourir aux frêles mains reployées qui de leur pâleur de stellaires fleurissaient le rebord des draps.

—Oh! comme c'est bon! comme tout s'oublie! Ils me portent en eux et je les porte en moi! C'est nous les enfants de nos enfants! Ah! Paule, ah! Guy, vous seuls êtes le bonheur! Et un autre homme en moi renaît à vous baiser, un autre qui est ma chair paternelle et qui est votre chair de bonne enfance, ô sainte! ô sanctifiée!

Enfin, il les quittait, ces chambres qui l'éveillaient à une réparatrice sensibilité, et en ouvrant la porte voisine, il apercevait sa femme, qui, avec un sourire, lui disait:

—Ai-je rêvé? ou si c'est vrai? Il me semblait que tu causais avec nos enfants!

Cette crise momentanément changea le cours de ses idées. Un apaisement pendant quelques jours—(oh! encore, ces hauts et ces bas!—) lénifia de balsamiques émulsions son maladif libertinage. Il ne se sentait aucune énergie pour le travail, mais un énervement doux, infiniment mol et doux, comme en une convalescence, lui laissait la langueur d'une blessure par où à flots se fût répandu son sang et qui, refermée, l'affaiblissait d'une bienfaisante torpeur. Il n'avait rien dit à Rakma de ses sottes suggestions de l'autre nuit—(à présent il les trouvait telles),—ne lui avait pas reparlé de l'homme aux prunelles pâles, cause de ce saugrenu désarroi de son esprit.

Comme *cela* me paraît déjà loin! pensait-il. Et comme j'ai peine à me figurer que *cela* réellement ait eu lieu! De réitérées commotions cérébrales (ah! pire qu'une goule et qu'une stryge, cette femme!) seules peuvent expliquer de pareilles obsessions!» D'ailleurs, il l'évitait encore une fois, détournait d'elle son regard pour ne point tomber en tentation de ses yeux de sortilège et de perdition, ses yeux où, comme en un mirage, il voyait se dresser et l'attirer—d'un noir de gouffre et d'alcôve—sa maigre et irritée nudité.

Il s'avérait, il était contraint de s'avérer certains ravages qui, sous la morsure des baisers, en ces passionnelles démences auxquelles elle apportait une rage de le pressurer, le mûrissaient pour la décrépitude. Déjà le déchet s'attestait à un trouble de la mémoire; il avait peine à se rappeler les événements immédiats, embrouillait le souvenir des figures connues, ne percevait plus bien que les lointains de la vie. Et des stigmates sans beauté, comme entaillées au couteau, ravinaient, en la vulgarisant, la plastique régulière (et dévolue à quelque mémoratoire buste!) de ses traits.

Mais, malgré ses ruses puériles pour lui échapper, un jour, sous le prétexte d'un livre à prendre dans la bibliothèque, elle envahissait son cabinet, et tout de suite, comme à coups de poing, lui plantait ses reproches en plein visage. Est-ce qu'il allait recommencer à lui faire sentir l'ennui et la honte de sa présence dans la maison? Ah! bien! elle en avait assez de toujours mentir et de jouer à la vertu! Et il la considérait, tout à fait apeuré, comme une belliqueuse vision, comme l'anormal événement suscité pour une calamité à travers son rafraîchissement actuel.

—Ah! dit-il enfin, endolori d'apathie, laissez-moi. J'ai tant besoin de calme. C'est comme un naufrage auquel j'aurais échappé. Et tenez, si vous m'aimez, vous m'épargnerez cette scène. Plus tard, ah, oui! plus tard, nous aurons d'autant plus de joie à nous retrouver.

Il cherchait à lui prendre les mains.

—Non, fit-elle, rien. Il faut s'expliquer. (Et haussant la voix:) Vous, toujours vous! Toujours ce monstrueux égoïsme! Mais ne suis-je donc rien dans votre vie! Voyons, est-ce que je ne suis pas votre maîtresse, après tout? Hein, votre maîtresse, dites? Et pensez-vous que moi, qui aurais le droit de commander à mon tour, je ne souffre pas du rôle humiliant que je joue ici, que j'ai accepté de jouer ici pour vous?

Elle lui jetait ses phrases avec des gestes saccadés, en un vent de colère qui la poussait par la chambre, les yeux rêches, sa bouche violette fouettée de mots qu'elle ne savait pas retenir, sincère et nue en cet inopiné déballage de ce fond de hargne, elle, qui était la dissimulation en granit! Et Lépervié, devant ce travesti d'une autre femme qui brusquement lui changeait toute certitude, subit un malaise étrange, comme de sentir, en ballon, s'enfoncer la terre très bas et de perdre pied dans la surprise d'un fabuleux enlèvement. Ainsi croulait sous lui pour cette réalité sans prestige la duperie de la fausse idylle.

—Ah! je suis joué, pensa-t-il. Il soupira, navré: Qui aurait cru que nous en serions arrivés là? Et c'est toi, la douce et la résignée, toi, mon rêve de printemps, qui me parles ainsi! Ah! tu n'es plus la même! tu n'aurais pas dit cela autrefois!

—Mais, mon cher (en haussant les épaules), ne voyez-vous pas que c'était une comédie que nous jouions l'un pour l'autre?

—C'était donc vrai, se dit-il.

Il éploya un geste réquisitorial et fulmina:

—Alors, vous l'avouez, fille cynique! Ah! tonnerre! elle l'avoue! Eh bien! va-t'en, sors de mes yeux! Je serais lâche de te subir plus longtemps.

Sous le battement de ses bras dans l'air, elle se reprenait soudain à un calme dédaigneux, s'asseyait sur le sofa, et, son genou entre ses mains, elle lui disait indolemment:

—Oh! on ne me chasse pas comme ça, moi! Vous oubliez à qui vous parlez, mon pauvre ami!

Et c'était au tour du président, devant cette attitude de la femme sûre de sa force et qui mettait les torts de son côté, à sentir se figer, sous les froides et volontaires prunelles dont elle l'enclouait, le coup de sang qui lui engorgeait les jugulaires—et combien vaine cette parade de gros mots, accueillis par un haussement d'épaules et un sourire qui semblait toiser sa chétive révolte!

—Mais, voyons, s'écria-t-il, dites-moi au moins que j'ai mal compris, que ce n'est pas vrai, cette comédie qui me rend le passé intolérable.

Elle prit un livre sur la table, l'ouvrit, le rejeta, puis se renfonçant aux coussins:

—Vous vous calmez donc enfin! Allons tant mieux! Voyez-vous, si vous m'aviez laissé parler, vous vous fussiez épargné la peine de tant vous monter contre moi!

Ensuite elle se levait, arrivait se poser sur son épaule.

—Mais comprenez-moi donc! Une comédie sans doute! La comédie de nous cacher l'un à l'autre notre volonté de nous posséder jusqu'à en mourir! La comédie qui aux lèvres nous mettait des choses de flûtes et d'oiseaux quand c'était l'enfer en notre sang! Ah! le pauvre chéri qui a cru que je pouvais dire autre chose! Mais regardez-moi donc dans les yeux (et à deux mains elle lui maintenait la tête sous le clair défi de son regard), est-ce que j'ai l'air de mentir? Est-ce que je ressemble à une femme qui, même en mentant, n'en serait pas moins la franchise même?

De l'épaule, en une caresse, avec l'ondulement de sa mince personne, elle lui coulait maintenant aux genoux. Il voulut parler.

—Non, non, plus un mot! (lui souffla-t-elle dans la chaleur de son haleine). Ne sens-tu pas que j'ai faim et soif de ce petit président, mon caprice et ma fureur? Le perdre, même un instant, le puis-je? Toujours à mes doigts, toujours à ma bouche, comme une bague et un fruit,—ah! ailleurs aussi, comme une ceinture à ma ceinture! je le rêve... Mais dites-moi quel plaisir inventer pour que plus rien ne vous dispute à ce flanc? Ah! je voudrais de mes baisers déchirer de si cruelles morsures votre chair que je l'aurais au moins par la douleur—et les enfoncer, ces baisers, au fond de vous, si au fond que ce seraient des clous par où nos peaux adhéreraient ensemble!

Enlizé par la liane qui se ramillait en chuchotements de paroles, en frôlements de doigts joueurs, il resentit s'agiter en lui les phosphores.

—Mais, dit-il les prunelles en un brouillard, mais c'est que tu m'aimes alors! Oh! dis-le moi! Dis-moi que tu m'aimes bien, que tu n'as jamais cessé de m'aimer.

Son regard de bête, elle le lui plongea, ainsi qu'une épée! pour en transpercer son être, elles dents au clair, comme le dépeçant par avance dans une goulée de rire:

—JE VOUS VEUX!

Derechef, toute résistance échouait. Il pensa: Je devrais la haïr pour un tel mot. Mais la bête dominant l'esprit, il chavira à l'habituel naufrage dans le coup de vent de ses baisers à travers lesquels elle lui criait:

—Tu es à moi, rien ne peut nous désunir.

Elle partait. Alors la Voix persifla:

—La comédie, c'est toi qui la jouais! D'ailleurs, elle était bien inutile, puisque tu lui appartiens! Tu es ensorcelé, mon président!

Il se secoua, comme mal éveillé.

—Mais qui donc a parlé? dit-il.

Dans la maison, de petits événements. Le médecin, mandé pour des suffocations de Mme Lépervié, lui ordonnait la promenade au grand air. Son corps, anonchali d'inaction, s'empâtait d'une adiposité maladive que seulement un exercice régulier pouvait encore conjurer. Dès le lever, sa femme de chambre l'aidait dans l'œuvre pénible de sa toilette; elle se sanglait dans ses robes, s'en allait faire un tour de bois. Vers le midi, elle rentrait exténuée par cet effort, toute moite du soleil d'été qui, sous le frisson des arbres, la cuisait dans l'étroite fermeture du corset.

Dans les premiers temps, le président, requis par l'heure matinale de l'audience, l'accompagnait d'un bout de conduite. Mais un jour, Rakma, d'un mot bref, lui persuada de demeurer; il imagina un prétexte pour s'attarder. Tout à coup, la porte de la rue battait sur la sortie de Mme Lépervié. Dans le vide des chambres, la tête à son épaule, elle lui confessait un caprice.

—Je voudrais,—mais n'aller pas dire non,—je voudrais...

De l'œil elle lui désignait le lit, le grand lit défait sous ses couvertures relevées, le lit tout blanc où, au creux des oreillers, deux têtes avaient imprimé du sommeil.

—Hein?—Il tressauta, soupçonnant à cette seule coulée de ses yeux vers les draps, un pire dessein.

—Mais oui, mais oui! Ne suis-je pas votre femme, aussi?

Elle le vrillait de ses doigts, l'entraînait; et ensemble ils allaient à ces profondeurs invitantes du lit, à la paix sans tache de la bonne alcôve où brusquement, dans la tiédeur encore de la chair de l'épouse, se renversait la noire nudité,—plus noire en ces blancheurs subitement profanées.

—Non, déclara Lépervié, retenu par une dernière honte, tu ne me feras pas faire cela.

—Mais regarde-la donc, insinua le Conseiller perfide. Plus noire en ces blancheurs! Et désirable! Assumant, en cette attitude sur l'autel, d'effroyables et si neuves délices!

—Oh! s'écria-t-il, tu es, en effet, diaboliquement désirable ainsi!

Un jet de, sang lui fusait aux carotides. Il n'apercevait plus à travers un étourdissement que l'abominable tentation vivante, subitement se ruait à la perdition avec un rire dément aux lèvres, un tel rire que son visage en semblait devoir, comme sous l'hilare bestialité d'un masque, à jamais perdre toute humanité. Et leurs corps écartelés en travers de l'honnête lit nuptial, il lui disait les paroles honteuses,—en dérision des autres, proférées dans un loyal amour, tandis que de la chambre attentive, un plus grand silence montait (et qu'il n'entendait plus). Ensuite, leur geste impudique se dénoua, il crut qu'il avait rêvé, considéra longuement les rideaux, les chaises, la table où la lampe dormait sans lumière dans l'ombre de l'abat-jour. Et, sans remords, il ne comprenait pas qu'il eût pu faire cela.

—Cela! cela! se répétait-il, soûl d'impures tendresses, mais cela, l'ai-je seulement voulu?

Cela! et le parfum de jasmin, aimé de Lydie, le cher parfum fidèle se volatilisait des sachets!... Cela! et une écharpe de dentelle sur une chaise conservait le dessin flexible d'un cou, de son cou où, au temps de l'amour, il avait aussi égaré ses lèvres!... Cela! et un air léger, aromatique, ventilé encore du passage de sa personne, gardait, pour l'avoir frôlée, l'odeur de sa chair presque insexuelle, comme si rien, vraiment rien, n'avait altéré le confiant, bonheur de cette chambre... Cela! et le miroir où soudain il s'apercevait, les vêtements en désordre, suant les affres séniles de sa volupté,—le miroir, comme avec l'œil de l'épouse humiliée en ses clartés de givre, le regarda.

—Ah! se dit-il en tressaillant, pourquoi aussi toujours un miroir nous tire-t-il les yeux comme si quelqu'un nous y jugeait?

Ils prirent goût à ce sacrilège. La religion outragée du Sacrement, dans la lassitude de leurs coupables plaisirs, les diligentait de neufs et surabondants aiguillons.—«Tout le reste, à côté, me paraît sans saveur, s'avouait Lépervié. Serait-ce que déjà il me faudrait les cauteleux piments et les frauduleux apéritifs? Mais puisque le plaisir est un art, pourquoi ne pas utiliser, afin de le rendre plus acéré, l'adjuvant que nous fournissent les circonstances et les lieux?»

Il en résultait, pour un plaisir impie, comme la cuisson d'un moxa lui échauboulant la peau, comme l'excitation de cantharides en poudre charriant en son sang de diligents ardillons. (Cette souillure du lit sacré lui eût révélé le frisson de la damnation encourue, s'il eût été plus chrétien, mais, vu son zèle tempéré, seulement irritait en lui—le Magistrat—la scélérate joie de toute loi contemnée.) Et pour lui épicer par un poivre de sadisme le savoureux coulis du péché, elle l'éperonnait d'une invite qui ajoutait à l'acte la dérision d'un mystère unanimement révéré et le commuait en une sombre farce blasphématoire.

—Allons, mon président, montons à l'autel et célébrons la Messe noire.

Ensemble ils avaient macéré leur dépravation dans la lecture des cruelles et dégoûtantes saturnales catholiques, restituées avec satanisme par un probe historien.

—Oui, répondait-il, la Messe noire dont tu es le Diable!

Elle dénouait ses cheveux avec lesquels elle lui tissait un rêt, et radieusement nue, selon les rites orgiaques se livrait dans l'ampleur des draps violés, en l'excitant de sa bouche écarlate comme une gousse de piment, écarlate comme le viol ou les coquelicots d'un sang d'animal. Et c'était réellement la messe de péché,—cette communion où dans les râles et les spasmes, ils agonisaient ensuite sur des croix de plaisir, baisant à leurs lèvres le simulacre d'une patène et se crachant en des salives l'hostie amoureuse, tandis que sous eux fumait un obscur encens.

—Mais va donc! Tu traînes, tu traînes! disait-il maintenant à sa femme, avec l'impatience et l'ennui de la voir s'attarder le matin à sa toilette.

Il la chassait presque, il avait l'air de la chasser, la sacrifiée inconsciente! avec le baiser dont il la mettait dehors.

(—Tu sais bien, ma pauvre, c'est pour ton bien, ton bien uniquement.)

Et il l'envoyait à la rue excéder son pauvre corps indolent.

Mais un matin elle se leva plus oppressée qu'à l'ordinaire, ne sachant se déterminer à sortir. Toute la nuit elle avait été prise de spasmes si violents qu'il avait dû se lever pour lui faire respirer de l'éther. Puis, habillée, son chapeau sur la tête, elle s'était jetée dans un fauteuil, en proie à une crise de larmes sans cause. Et comme il se tenait devant elle inquiet, irrité de cette sensibilité maladive, lui demandant; «Voyons, qu'as-tu? qu'as-tu encore une fois?» elle lui prit entre les siennes ses mains qu'elle mouillait de baisers:

—Pardonne-moi, mon ami. Je ne puis les retenir, ces pleurs. Je n'ai rien, non, rien. Et pourtant je me sens mortellement triste. C'est comme la peur en moi de choses que je ne sais pas et qui me menacent et qui rôdent autour de moi dans la maison.

—Ah! les nerfs! les nerfs!

—Oui, c'est cela, mes nerfs, sans doute, comme tu dis. Par moments, vois-tu, il me semble que je vais mourir, le cœur me lève, me saute à m'écarteler la poitrine. Et je pense à toi, à nos enfants! Mon Dieu! vous quitter si tôt, vous laisser seuls! Mais dis, n'est-ce pas que je suis folle? J'ai besoin que tu me grondes, que tu me ramènes à la raison!

—Alors, fit-il avec un mauvais rire, c'est comme l'autre fois... cette nuit où l'on t'arrachait le cœur!

—Ah! tais-toi, s'écria-t-elle aussitôt en se levant, ne me reparle plus de cela. C'était horrible! Mais le plus horrible, je ne te l'ai pas dit, je ne voulais pas te le dire—c'est qu'il m'est encore revenu, ce rêve affreux!

Il se fâchait pour de bon, se promenait avec agitation par la chambre.

—Mais c'est de la folie, en effet... Tu finiras par te rendre tout à fait malade, avec tes sottes imaginations!

Rakma inopinément survenait. M$^{me}$ Lépervié la renvoyait d'une parole brève (Laissez-nous, je vous prie). Et de nouveau elle lui prenait les mains:

—Oui, oui, gronde-moi... Tu as bien raison... Mais ne te fâche pas... C'est une peine sourde, profonde, que je ne puis maîtriser... la peur aussi que tu cesserais de m'aimer, car tout cela se confond en moi, je ne sais pas m'analyser... Et ton affection n'a pas varié? Tu *nous* aimes toujours autant que par le passé, dis?

—Mais, sans doute... Je ne sais pas, en vérité...

Il s'arrachait péniblement cette protestation sans chaleur. Ensuite, retirant brusquement ses mains, il s'indigna, en un élan d'honnêteté méconnue:

—Ma parole, on dirait que je vous ai donné le droit de douter de moi!

—Oh! se récria-t-elle tristement, c'est la première fois que tu me dis: Vous!

—Mais c'est vrai aussi (avec éclat), tu devrais m'épargner de pareilles scènes!

Elle allait vers la porte, revenait sur ses pas, lui présentait dans un sourire son front, à baiser:

—C'est fini, je tâcherai de ne plus recommencer. Et tiens, je t'obéis, je sors.

Cette fois, il n'éprouvait plus qu'un énervement maussade, comme l'ennui d'être dérangé dans les certitudes tranquilles de la faute.

—Dans de telles conditions, un ménage deviendrait un véritable faix, se dit-il, les yeux fixés sur une des rosaces du tapis, en resongeant aux facultés sensitives de sa femme, évocatrices de si mystérieuses correspondances.

Deux bras nouèrent son cou; il se vit près de Rakma qui, entrée d'un pas d'ombre, levait vers lui de pitoyables yeux et, sur un mode bas, affligé, soupirait:

—Ah! que je vous plains, mon ami, que vous êtes à plaindre!

Lui suggérant ainsi une imméritée injure dont il eût été victime, un grave manquement à ses droits d'époux, à ses exemplaires vertus de brave homme.

Mais les larmes de sa femme l'avaient endurci; il soupçonna une malice en la vicieuse et cruelle fille, si peu débonnaire.

—Bah! dit-il, en une poussée de bravade, cela me touche médiocrement.

Tout de suite alors, d'un bond joyeux, elle se pendit à son épaule, lui cria dans un rire:

—À la bonne heure! Voilà qui est parler en homme! Je ne sais vraiment pas où j'avais l'esprit pour vous dire cette sottise.

Puis, avisant le mouchoir trempé de pleurs que Mme Lépervié avait laissé tomber et qui traînait sous leurs pieds:

—Serrez donc cette relique, mon cher. Elle doit vous être désormais sacrée!

L'anxieux malaise de Mme Lépervié ne se dissipait pas immédiatement. Mais avec un courage que démentait sa nature molle, elle le dissimulait au président, ne se détendait un peu qu'avec ses enfants.

—Ah! mes petits, leur disait-elle, venez me défendre contre moi-même... N'êtes-vous pas ma force et mon plus sûr refuge? Plus près, mettez-vous plus près encore, que je vous sente contre moi comme en moi! Vous êtes si bien moi qu'il me semble n'avoir pas cessé de vous porter!

Tendresses chuchotées à leurs oreilles avec le frisson de la voix, chuchotées dans la soie légère, tendrement aérienne, des boucles où le sourire maternel aspirait la tiédeur de leur chair.

Et ils ne comprenaient pas, leurs yeux de perles et de clartés tout grands ouverts sur cette peine qui s'affligeait en souriant.

—Surtout, n'allez rien dire à personne, encore moins à votre père.

—Tiens, s'écriait Guy, c'est comme un soir que je dormais, et qu'il est entré, papa, et qu'il m'a dit aussi de ne rien dire à personne.

—Ah! ton père t'a dit cela? Et que te défendait-il de dire, mon amour?

—Puisque mon père m'a défendu!

—C'est juste, mon fils, je l'oubliais, dit-elle simplement.

Maintenant aussi, à travers le mal indéfinissable qu'elle ressentait en son vieil amour d'épouse (car c'était là surtout que, sans pouvoir se l'expliquer, elle portait sa blessure), il lui venait pour Rakma une antipathie qu'elle se reprochait à l'égal d'une ingratitude.

—Serait-ce, pensait-elle, qu'en vieillissant ou à force de trop voir une personne, on finit par devenir injuste? À la longue, c'est pourtant comme l'attachement et le lien d'une parenté qui s'est établi entre nous. Ah! les vicissitudes du cœur sont bien inqualifiables quand ceux qui en sont les victimes n'ont pas changé.

Elle aurait voulu, dans sa bonté, se confesser à cette fille ainsi méconnue. Un jour qu'elles étaient seules, elle l'essaya; mais tout à coup, en levant les yeux, elle ne pouvait plus desserrer les dents. Ensuite elle demeurait à se torturer pour trouver au moins une raison à un si grand changement. Elle ne la trouvait pas, cette raison, ni en elle ni en Rakma, toujours irréprochable.

Il arrivait, à quelques mois de là, qu'une des domestiques de la maison, réprimandée par Rakma pour une négligence, subitement se révoltait et dans un feu de colère, lui lâchait:

—Allez! on sait bien comment vous le gagnez, votre argent, dans cette maison!

Rakma allait se plaindre à Lépervié qui faisait monter la coupable (c'était une fille déjà mûre, vieillie à leur service), et très surexcité, perdant la convenance du geste, violemment la chassait. Cette femme, alors, se mettait à le regarder, un regard triste qui inopinément lui remémorait un autre temps.

—Et comme ça, dit-elle, monsieur me congédie?

Il ne répondait, pas, pensait à ces yeux déjà subis quelque part (mais cette mémoire, cette faible et labile mémoire!) Et petit à petit, un souvenir se précisait: «Oui, ainsi me regardait cet homme, c'était bien là le regard de cet homme quand nous entrâmes dans cet affreux logis.

Elle recommençait sa question.

—Monsieur, après tout ce qu'il a fait pour mon frère et notre famille, et qui m'attachait si fort à monsieur, me congédie?

L'immuable granit se rompit.

Un pauvre diable, en effet,—le frère de cette fille qu'il chassait de sa maison,—surprenant une nuit sa femme avec un amant et la tuant... Lépervié, aux assises, visitait les principaux jurés et le faisait acquitter... Puis, un soir,—ce soir de spleen et de rêve,—Rakma arrivant lui dire que quelqu'un était en bas pour lui parler... Le meurtrier, à ses pieds, bégayant ses remerciements à travers des larmes...

—Ce paour et l'énigmatique hôtelier aux yeux tenaces n'étaient donc qu'un même homme! Ah! il y a des fatalités! se dit-il sans paraître soupçonner qu'il les portait en sa chair, ces fatalités, indécrochables comme les clous qui rivent l'homme à sa croix.

La femme maintenant, en joignant les mains, l'implorait.

—Non (dit l'inflexible magistrat aux pitiés usées, comme sous le creusement des genoux les margelles des puits) il est superflu d'insister, j'ai dit.

Puis, cédant à un besoin de la défier, il s'écria avec emportement:

—D'ailleurs, vous m'entendez. Je me moque de ce qu'on peut dire sur mon compte. Je suis au-dessus du soupçon.

Mais une porte s'ouvrait à l'étage, M^me^ Lépervié se penchait sur la rampe de l'escalier:

—Que se passe-t-il donc? Pourquoi ces cris?

—Ah! madame! madame! gémit la fille, sans trouver d'autre parole.

Un ennui d'abord énerva Lépervié pour leur liaison connue des gens de l'office. L'injure faite à Rakma, cette saleté de leur vie attestée par la grossièreté de l'outrage tout à coup dénonçait une clandestine inquisition, peut-être une ligue ourdie contre sa sûreté. Pendant quelque temps, il redouta les insinuations anonymes: immanquablement elles auraient infirmé son laborieux mensonge auprès de sa femme, pour justifier le départ de la bonne sans y mêler le nom de Rakma. Mais comme nuls complots ne s'avéraient, son acte d'autorité, en refoulant à l'aveugle domesticité les cuisines, lui parut louable.

Encore une fois, l'impunité finale, malgré de fortuits tracs (ceux-ci, après tout, ne sont-ils pas le cayenne et le carry du plaisir?) couronnait pour tous deux les assouvissements du crime. Et ils y descendaient plus avant, en ces pleines eaux du crime où ils nageaient à brassées, comme aux noirs flots des lacs dantesques, peuplés de bêtes malfaisantes et goulues,—les pieuvres et les hydres nourries de chair humaine et qui, de leurs suçoirs et de leurs gueules, enroulées autour des naufragés de ces bourbeux abîmes, pompent et dévorent jusqu'au dernier sang la conscience.

Elle imaginait à présent de s'offrir, pour leur messe obscène, à travers la présence et la grâce humiliées de l'épouse, en dérision de son pauvre corps désaccoutumé de la passion, charnelle. Un jour, son dépravant rire aux dents, il la voyait se dresser, enveloppée d'une dalmatique fourrée que portait Lydie et qui, sur les maigres épaules de la maîtresse, tout à coup prenait la drôlerie funèbre d'un poêle mortuaire.

—Encore une de tes inventions, fit Lépervié, agacé d'abord par ce pillage de la garde-robe de sa femme. J'aimerais autant que tu te désaffubles de cet accoutrement...

Mais, avec des tordions de ses minces hanches brusques, elle se mettait à marcher par la chambre, dans le fouettement à ses jambes de l'étoffe trop large, la retenant seulement à la taille par ses mains cachées sous le manteau et qui le collaient étroitement au cambrement de ses reins, tandis que, la tête tournée en arrière, elle ne cessait de l'attirer du rire et des yeux.

—Voyons, je t'en prie, dit-il dans un dernier effort, car ce vêtement ainsi profané maintenant avivait un nébuleux souvenir, la joie de la toute jeune femme (en ce temps-là) à se sentir abritée, elle si frileuse, par cette chaude douillette. C'était pendant un voyage en Hollande ensemble accompli au plein cœur de l'automne, d'un amoureux et inoubliable voyage à deux, dans les brouillards et les premiers frimas de l'automne, d'un voyage d'époux envolés vers le mélancolique automne de la Hollande, comme d'oiseaux émigrant vers d'exotiques latitudes. Et il se souvenait, jamais elle n'avait voulu se défaire du vieux manteau, associé dans sa mémoire à un tel bonheur. Même, en riant, une fois elle l'avait ainsi prié:

—Quand je n'y serai plus, tu découperas un peu de ces chères fourrures et tu les mettras avec mes fleurs de morte.

—Non, non, assez, dit-il en détournant les yeux.

Mais, tout à coup, la sombre dalmatique s'écartait; il voyait pointer les bruns girofles de ses aigus tétins, et toupillant sur ses hanches, elle balançait un lent rythme de danse.

Ensuite le drap s'ouvrait un peu plus sur un bras nu qui en jaillissait et dont elle prenait à sa bouche un baiser qu'elle lui jetait. Et tout d'une fois déployant largement le manteau au bout de ses bras tendus, elle apparaissait, parmi les noires fourrures, comme avec les ailes au dos d'une grande chauve-souris, ses seins et son ventre dardés de la totale nudité de son corps.

Un instant, il restait sous le saisissement de cette étrange vision; mais, avec des tortillements plus irrités, comme en un pas maintenant de bayadère elle se rapprochait, lui injectait ses corrosives prunelles, subitement l'enfermait aux plis profonds de l'étoffe reployée par-dessus leurs deux têtes. Et, dans cette ombre ardente de la prison de soies et de duvets, il sentait s'insérer en ses membres un souple et trépide enlacement, sinuer à ses habits les électriques satins de la peau de cette fille (comme déshabillée en un maillot couleur de peau), et qui, avec des étirements du buste et de la gorge à sa poitrine, le maillait et l'alliciait de ses mains en spires de jeune lambrusque au long d'un palaisseau.

Ensuite, comme des gousses dégorgeant leurs rêches piments, ses lèvres diligentes furieusement lui versaient les poivres du baiser. Et c'était la fin, il l'emportait à l'alcôve, la jetait à travers les coussins, la possédait dans la dépouille de l'épouse, talisman sacré pour un pieux devoir d'amour et qui, sous les corps cruellement tordus, n'était plus qu'un haillon conspué, la souillure d'un drap d'autel sur lequel le vin des buires a été répandu. Ils se roulaient aux muses excitants de la toison, se sentaient stimulés par ce fleur sauvage poivrant sous leurs foulées le fade fumet évaporé de leurs lies. (Ah! un mol parfum de jasmin dont M^me^ Lépervié aimait s'imprégner, et qui avait fini par devenir son arome naturel, l'odeur de sa bonne âme de mansuétude et de pardon, mitigeait l'âcre senteur férine et leur servait aussi d'adjuvant!) Dans les frisures chevelues de la fourrure, aux chaleurs voluptueuses, Lépervié alors put se figurer qu'une double femme par deux flancs et deux bouches l'absorbait. Le crime maintenant le chevauchait si impérativement qu'il se ravalait à une turpitude plus abominable que toutes les autres, et que l'éperon dont l'horrible cavalier lui labourait les côtes aiguillonnant l'effrènement même de sa jouissance, il avait l'illusion de les posséder l'une à travers l'autre et toutes deux ensemble!

L'hiver ramenait pour M^me^ Lépervié les sédentaires habitudes. Elle ne sortait plus, vaguait à travers les chambres dans la tiédeur moite des calorifères, et, son fauteuil avancé jusque proche la fenêtre, elle regardait se vider et frelucher derrière la vitre les fuseaux de la neige. En même temps, un goût de petites occupations l'essayait à accourcir les heures, un point de tapisserie, un dessin de broderie, un livre lu sans hâte et qui échappe aux doigts, dans la torpeur endormeuse des chambres trop bien closes.

Autrefois, ils avaient fréquenté dans des salons amis, mais l'ennui de toute fatigue, depuis près de deux ans, restreignait leurs relations. Rarement une visite: quelque vieille amie avec qui M^me^ Lépervié ne se gênait pas et qu'elle recevait en peignoir, dans son appartement de l'étage; ça et là, un collègue de leurs intimes connaissances que Lépervié faisait monter à son cabinet; ou encore un petit nombre de parents, toujours les mêmes.

—Oh! moi, disait-elle en souriant, quand les visiteurs la plaignaient pour sa paresse à sortir, j'ai fait un jour un grand voyage. C'était au commencement de notre mariage. Nous sommes partis en hiver pour un pays si loin, si loin, que nous n'en sommes jamais revenus. Le président m'assure que c'est la Hollande, mais on en revient de la Hollande, n'est-il pas vrai? Et je ne suis pas revenu de là-bas! car là-bas, c'était le pays du bonheur. Et... et (ajoutait-elle avec une si imperceptible mélancolie qu'elle seule peut-être eût pu dire qu'elle en restait mélancolique), par le souvenir, par le rêve, j'y suis encore, en ce pays du rêve!

D'autres fois:

—Le bonheur, c'est tout petit, pas plus grand que l'espace entre ce fauteuil et cette table. Après cela, c'est le vide qui commence, oui, quelque chose comme une contrée de plaines et d'eaux où il n'y a ni fleurs ni oiseaux, une désolation de fin du monde.

Dans sa musique lasse de voix, avec le moite et lent regard éclairant les pâleurs de ses tempes, et le geste nonchalant de ses grasses mains lilas sous un nuage de dentelles, ces choses, comme à travers le regret déjà d'une aïeule, se nuançaient d'un charme alangui de confidences. Par malheur, la désuétude de nul exercice avait encore appesanti le poids, pour elle si lourd, de sa chair à porter, comme une maison à ses épaules, la maison de son âme légère et ailée. Elle ne savait plus toujours, la bonne dame, résister à l'invincible sommeil, le subissait ainsi qu'une infirmité un peu honteuse, et qu'elle mettait une pudeur à cacher. Mais il arrivait que, toute sa pauvre volonté ne pouvait conjurer cette inclination à dormir; alors, elle haussait un peu le coussin sous sa tête, laissait aller les mains le long de ses genoux, soupirait:

—Allons, je vois bien qu'il me faut fermer mes volets et rentrer dans ma tour. Bonsoir, mes enfants!

Le président ne montait plus que rarement, toujours trouvait des prétextes pour se clore en son cabinet. D'ailleurs, comme une fois là-haut, un inévitable somme l'accablait, il avait pris le parti de s'épargner le ridicule de ce tête à tête de vieux couple tassé et roupillant en des fauteuils, le menton rentré dans le cou, les joues blettes et ballonnées, chacun renâclant, émettant un bruit de gargarisme avec un petit claquement mou des lèvres. «Ma femme vieillit, constatait-il en comparant la lourdeur de son grand corps adipeux et veule (cela ne le justifiait-il pas?) à la svelte minceur, aux onduleux étirements de serpent, à la frétillante et diabolique alacrité de l'androgyne mêlant en Rakma les grêles brusqueries de l'éphèbe et les charnoyeuses flexions muliébres, fleurs secrètes du sexe.

—Cependant, se disait-il (peu versé en callisthénie esthétique et ne soupçonnant nul Beau que l'antique), elle n'évoque aucune des perfections visibles en la pluralité des Vénus. Un aréopage grec ne lui eût point décerné la palme. Et pourtant, c'est indéniable, elle fait vibrer toutes les musiques de la plus effrénée passion; elle me tourne et me retourne sur les grils du plaisir non moins que si elle assumait à mes yeux l'exclusif empire de la Beauté. C'est donc qu'il y a une plastique spéciale et toute conventionnelle pour les peintres et les sculpteurs et une autre qui en nous pince les nerfs, chatouille les viscères, éréthise les muscles? (Quelquefois encore l'incoercible ratiocineur en lui l'incitait à ces syllogismes.)

—Oh! convenait-il au bout d'un instant, elle a une beauté bien supérieure à tous les rythmes professés. Et sans doute le sens de cette beauté dormait en moi, antérieurement à tout autre, puisque du jour où j'ai ouvert l'œil à son évidence, celle-ci m'a pris tout entier. Mais alors ce serait encore une fois le retour aux fatalités et le néant de tout libre arbitre?

Ah! la bonne blague! Mais le libre arbitre, ô cavilleux président! n'est que le mensonge dont se leurrent les hommes pour déguiser leur absolue dépendance des mille contingences qui agglutinent la vie. C'est le palliatif imaginé à la foncière servitude qui institue l'homme geôlier de l'homme et rive sur lui d'innombrables écrous. Ton libre arbitre consiste à virer au piquet, dans le champ de tes instincts, de tes humeurs, de tes penchants, à subir l'injonction du doigt indicateur qui te montre la route où ton destin veut que tu marches, à sentir l'éperon en toi de quelqu'un que tu portes dans ta peau comme ton ver, et que tu ignores—ah! quelqu'un! quelqu'un!—et qui te mène, cheval de cirque d'une piste où, après avoir longtemps tourné en rond, tu finis par t'effondrer, vanné et fourbu. Et sais-tu pourquoi elle te paraît si belle, cette fille sans beauté, et qui t'enroule autour de son petit doigt comme un fil qu'elle cassera d'un coup de dent quand elle voudra? C'est qu'elle possède la beauté pire, la beauté de ton vice et de ton abjection: c'est qu'elle est, à travers son rire de bête de proie, l'épouvantable laideur de la charogne que tu nourris en ta chair et qui te putréfie vivant; c'est qu'elle est ton puits de perdition, le trou fangeux où il t'était commandé de rouler et où tu roules, sale ordure, infectieuse et déplorable crapule!

Il se secoua, croyant rêver.

—Et cependant, se dit-il, c'est bien une voix qui m'a parlé. C'est bien cette même voix qui déjà s'est fait entendre, qui toujours se fait entendre. Mais autrefois elle s'énonçait avec douceur, comme une esclave soumise; maintenant elle a l'air de sortir d'une bouche de violence et de menaces.

Un jour qu'il la tenait sur ses genoux, dans un garni loué au mois, en un faubourg (à présent ils s'amusaient d'un semblant de ménage clandestin), il lui regarda longtemps les yeux.

—Ah! tes yeux! Comment ai-je pu les voir si mal jusqu'à ce jour? Ils ont, ces yeux sans pareils, étoiles de mes paradis, ils ont, ah! tes insondables yeux, la beauté de mon vice et de ma passion.—Son vieux céladonisme métaphysique, sans qu'il s'en doutât, répercutait en l'amplifiant l'écho de la Voix.—Un fil sort de tes yeux qui m'enroule à ton petit doigt et que, quand tu voudras, etc., etc. (Encore, encore la Voix.)

Elle l'interrompit, et du bout du frôlement de la bouche à sa nuque:

—Je veux que mes yeux soient pour vous comme des lits où votre désir vous rie par mes lèvres et avec mes seins vous offre à boire les apaisements de votre soif.

—En attendant (chuchota la Voix moqueuse) qu'ils se changent en le catafalque sous lequel ta pourriture ira se dissoudre, en un profond et ténébreux catafalque où tes propres yeux, à force de boire leurs filtres, tes mains, à force de caresser leurs soyeux rideaux, ta bouche, à force d'y sucer les sucs voluptueux, ne seront plus qu'une immonde et liquide bouillie, fluctuant aux parois de ta bière.

—Ah! s'écria Lépervié, ils me font peur, tes yeux. J'y vois se dessiner la forme certaine de mon cercueil et mes os décomposés!

Elle lui laçait aux membres les onduleuses caresses de sa luxure de fille; et ce cantique des cantiques de sa passion sénile s'achevait dans les rites désordonnés d'un sombre érotisme.

La tenace présence de M$^{me}$ Lépervié dans la maison leur avait fait renoncer à leur Messe noire. D'ailleurs la souillure du lit nuptial, par son abus, à la longue perdait de sa saveur. Ils étaient venus alors échouer dans ce logis banalement confortable qui leur procurait l'illusion (après leurs amours routières dételant en des relais d'auberges) d'être enfin chez eux, avec des aises en pantoufles, un plaisir de fines dînettes dont Rakma avigourait ses gourmandises émoussées et qui, furieusement pimentées, aiguisées de salacités virulentes, stimulaient momentanément ses périodiques détentes. Toutefois un soupçon de M$^{me}$ Lépervié, mais égaré sur de fausses pistes, les contraignit pendant quelque temps à de prudents délais dans leurs rendez-vous.

—Mon ami, lui disait-elle un jour, je ne sais ce qui se passe chez Rakma; mais elle me fait l'effet de se déranger. Je n'augure rien de bon de ses sorties.

—Hein? Quelle étrange idée! balbutiait-il, subitement alarmé.

—Non, je t'assure, ces fréquentes sorties sont peu naturelles, bien qu'elle les mette sur le compte d'une parente valétudinaire à visiter. Il y a quelque liaison là-dessous.

—En vérité, ma chérie (avec une mine sévère), tu la suspectes un peu légèrement; il faudrait au moins des indices.

—Mais ne t'aperçois-tu pas qu'elle se désheure visiblement? C'est en moi, quand elle me regarde, comme l'ennui de la soupçonner fausse, l'ennui d'un mensonge qui me la change et m'éloigne d'elle.

Il avait paru réfléchir, puis avec une rare force de dissimulation (mais il n'était plus homme à s'étonner de si peu):

—Tu as peut-être raison... Je vais discrètement m'informer auprès d'elle du nom et de l'adresse de cette parente... Ensuite, j'irai aux renseignements. Oh! discrètement, sois sans crainte.

—Cependant, mon ami, ne crois-tu pas que cet espionnage...

Il protesta. De l'espionnage! Il en était incapable. Une simple enquête que lui faciliterait l'immunité du magistrat.

Quelques jours s'écoulaient; puis un soir il montait la rejoindre en affectant de fermer avec loin la porté et lui disait:

—Eh bien, nous avions tort (s'associant ainsi à son soupçon). C'est bien d'une parente malade qu'il s'agit... Une vieille personne, une tante... Elle vit seule là-bas en un coin du faubourg... Oui, une petite chambre, une chambre de vieille femme vivotant sur une légère pension... Enfin les meilleurs renseignements et qui, franchement, font honneur à cette pauvre Rakma.

Il ajouta avec un regret sincère:

—Hein! comme on peut se tromper sur le compte des gens!

M$^{me}$ Lépervié le regardait.

—Oui, dit-elle d'un ton de voix singulier, comme on peut se tromper!

Ce regard et cette voix troublèrent le président qui détourna la tête. Mais, au bout d'un moment, levant tout à coup les bras vers le plafond (un geste sans signification précise et qui niait le propos):

—J'espère, ma bonne amie, qu'à présent tu as tes apaisements!

—Mais il le faut bien, répondit-elle, après avoir, elle aussi, mis un peu de temps à réfléchir.

—C'est bizarre, pensa Lépervié. Il semble qu'une autre femme me parlait avec sa voix. L'ère des soupçons commencerait-elle enfin? Mais non, mais non, se dit-il après avoir un instant creusé cette idée, ce sont là d'inutiles inquiétudes. Et pourquoi n'aurait-elle plus confiance en moi?

Une soudaine passion de littérature secrète s'ingérait dans son désarroi d'esprit. Chez des marchands spéciaux, dans de clandestines librairies, il raccola d'abord les rééditions du XVIII$^{e}$ siècle, les livres du vice fleuri et galant, aux mignonnes pécheresses en saxe grapillant l'espalier du baiser. Mais ce libertinage encore véniel bientôt s'attisait à des curiosités plus aiguës. Au Palais, en une soute dont il corrompit le gardien, d'innombrables typographies confisquées se tassaient, ramassis de pornographies honteuses, phalliques sécrétions d'un industrieux et morne satyriasis.

Lépervié à pleines pochées emporta de là—mais tous le font, se disait-il, et pourquoi aurais-je plus de scrupule?—les salauderies sans nom d'auteur ni d'éditeur, pincées en des rafles chez des dépositaires, trafiquants de cartes transparentes et de noisettes malthuséennes, les ignobles papiers à chandelles scatologiques et vénériens extraits des latrines des vidangeurs littéraires, les tirages illustrés de bestiales postures inversées, cabrées, lacées, multipliant en d'infinies fornications l'obscène satanisme des sexes. Ensuite, dans le grave silence de son cabinet, comme ouaté de son ancienne paix de recueillement, la porte close d'un double tour de clef, il les absorbait; ces fruits vénéneux d'un froid priapisme, il s'en saturait, il en décantait en soi les sucs malfaisants, les jus redoutables, les pestilentielles et morbides sanies.

—Mais, se confessait-il, nous ne sommes, devant cette échelle de Jacob d'une luxure infernale, portant à chacun de ses degrés le péché des Sodome et des Babylone, comme un espalier de toute la démence des races humaines, nous ne sommes, mon pauvre président, que de fort piètres mauvais sujets, à peine des écoliers. Briarée seul, en lui dispensant autant de prépuces que de bras, aboutirait à expérimenter l'atterrante prolixité de ces stupres.

Ces œuvres du dévoiement de l'esprit, il les cachait à mesure au fond des rayons de sa bibliothèque, derrière les sévères maroquins de ses livres de jurisprudence, digues élevées par d'immémoriales générations de penseurs et de moralistes aux torrentiels flux du vice et du crime et desquelles il faisait, lui, le juge prévaricateur, un hypocrite rempart complice aux porcellaires bauges dont voluptueusement il reniflait l'ordure.

Sans nulle aide de ces répugnants codex, l'artificieuse Rakma, ce vase de perversités recuites aux braises de la plus luxurieuse imagination, lui cuisinait de tels plats de sa chair que, dans les rémittences du mal, il se demandait, effaré, en quelles obscures officines, en quels vireux jardins elle en cueillait les condiments. «Cette vierge à qui j'ai cru enseigner le chemin de Paphos aurait-elle contenu, antérieurement à la faute, les sciences de damnation? M'aurait-elle été adjugée comme la vierge armée des redoutables sorcelleries de l'Amour? Ou bien un leurre de mes sens m'a-t-il induit en la crédulité d'une virginité qu'un autre peut-être avait effeuillée avant moi?

Cette pensée bientôt le traqua; il flaira une duperie en son passé; il en vint, contre toute vraisemblance, à suspecter en ses ragoûts toujours variés l'ingérence d'un frauduleux amant. Cette connivence avec un mâle avisé seule expliquait l'initiation aux dépravations qu'ensemble ils expérimentaient. «Mais ce serait monstrueux; il n'y aurait pas de mots assez injurieux pour une telle duplicité (il oubliait la sienne en son propre ménage). Ce soupçon jaloux, une fois en lui, l'infesta si bien qu'il s'oublia à lui faire une scène, un jour qu'ils s'étaient rejoints dans la chambre adultère.

—J'en ai le pressentiment, lui dit-il, tu me trompes, tu m'as toujours trompé. Oh! cela se sent à des mouvements dont on n'est pas maître. Et je me rappelle à présent des mots qui t'accusent, des mots que j'écartais de moi et qui me reviennent, accablants, tout ce vocabulaire ordurier dont tu épices tes fringales et que quelqu'un avant moi (car comment le connaîtrais-tu?) t'a inculqué. Puis encore ces caresses rouées au fond desquelles, aveugle, aveugle! je ne devinais pas tes sens déjà exercés!

Elle haussa les épaules sans s'émouvoir, et lui posant les mains sur son front qu'elle renversait en arrière pour mieux lui fouiller les yeux de ses amères prunelles:

—Ah! combien vous êtes ridicule! Mais vous n'avez donc pas senti le mépris que j'ai pour les hommes, l'immense mépris que j'ai pour tous les hommes?

Et elle répétait, elle lui enfonçait avec une joie cruelle le mot plus avant, comme un trait barbelé que, d'une main lourde, elle lui eut retourné dans une plaie.

—Oui, tous les hommes!

Il la regardait maintenant à son tour, surpris, mal à l'aise:

—Alors, moi aussi, moi comme les autres?

—Oh! vous, répondit-elle en souriant, c'est autre chose. Vous, c'est tout le mépris que j'ai pour les hommes, vos pareils, mais triplé, décuplé, centuplé! Vous, mon cher, c'est une telle puissance de mépris que je n'ai pour vous le dire que l'abomination même de mes crasses de gourgande et que je me suis ravalée plus bas que la prostituée des rues parce que je sentais qu'alors seulement l'égalité de la bassesse pouvait indissolublement nous lier!

—Ah! par exemple! s'écria-t-il, indigné. Et c'est à moi que vous parlez avec cette effronterie?

Elle affirmait de la tête sans cesser de sourire.

—Eh bien, dit-il en décrochant son pardessus, je vous épargnerai la peine de me mépriser à l'avenir. Adieu! Dorénavant tout est fini entre nous. Adieu!

—Adieu! répondit-elle d'une voix et d'un geste négligents.

Il s'enfonça le chapeau sur la tête et, au moment de franchir la porte:

—Adieu, dit-il encore.

Maintenant il restait tourné vers elle, la main sur le bouton.

—Dis-moi, au moins, que ce n'est pas vrai, que tu regrettes cette parole.

—Moi! mais pas du tout! Pourquoi la regretterais-je, puisque c'est la vérité, toute la vérité?

Il fit un pas vers elle, ensuite un pas vers la porte.

—Eh bien, adieu!

—Encore adieu!

Et tout à coup, il arrivait lui prendre les mains:

—Mais alors ce serait la rupture? Car désormais il nous serait impossible de vivre encore sous le même toit! Et pourrais-je me faire à l'idée de te laisser sans une aide dans la vie, abandonnée à toi-même?

—Laissez donc... Quand vous aurez quitté cette chambre, je descendrai après vous, et je me donnerai au premier homme qui passera. Ceci, je vous le jure.

Alors il jeta son chapeau sur la table, la saisit entre ses bras, roula à ses pieds.

—Non, non, tu ne feras pas cela. Je ne le veux pas. Est-ce que je puis d'ailleurs vivre sans toi? Est-ce qu'il m'est possible de cesser de t'aimer? Même avec ton mépris, je demeure ton amant soumis. Et serait-il plus grand encore, je ne te quitterais pas!

Il oubliait sa jalousie, l'injure et tout dans cette joie de la reposséder, de palper des mains les nerveuses saillies de son buste, de voluptueusement humer, en s'y roulant la tête, la chaude odeur de sa ceinture.

—Je savais, dit-elle froidement, que vous ne vous en iriez pas, que tu ne pourrais pas t'en aller.

Et, cette fois, les yeux qu'elle appuyait sur lui dégageaient, avec un tel magnétisme, leurs passionnels fluides que, se fût-il senti quelque force encore pour lui résister, cette force, dans les flammes noires de son regard, se fût immédiatement consumée.

—Oui, tu as raison, balbutia Lépervié, en lui mangeant la peau, je ne sais quel vent de folie m'avait passé. On n'échappe pas à sa destinée. La mienne est de rester attaché à toi comme ma chair à mes os, et d'être sous le talon de ta bottine le cœur que tu peux broyer, s'il te plaît. Un lien, ah! c'est vrai, c'est vrai! une chaîne dont les anneaux ont été trempés dans notre sang,—une chaîne torsée avec nos nerfs et nos fibres nous tient accrochés ensemble. Mais un bout de la chaîne en ta main est comme la laisse par laquelle tu me mènes, et le poids entier, c'est moi qui le porte, car j'en suis le forçat!

Elle égarait à son cou le tapotement d'un doigt câlin.

—Ah! papa président, vous ne serez jamais qu'un grand enfant.

—Oui, un vieux nenfant gâté de sa petite maman—(un goût de veules mignoteries, une malacie de dorlotages poupards, en l'assignant à ce janotisme d'un jargon de nourrice, faisandaient son vice),—un vieux grand nenfant à sa petite maman... sa petite maman!

Accroupi sur le tapis, les bras noués à ses genoux, maintenant il levait un visage canin vers elle et d'une voix veulement navrée, s'affligeait:

—Ah! tu es trop dure aussi pour moi! (Est-ce que tu ne vois pas une tache rouge là sur le mur? Est-ce que tu ne sens pas le plancher trembler sous nos pieds?) Que t'ai-je fait pour me mépriser à ce point?

—Ce que vous m'avez fait?

En enroulant négligemment à son index la mèche qui décorativement lui virgulait la tempe:

—... Mais, rien, absolument rien. Je vous méprise comme je vous aimerais. Il n'y a pas autre chose. Et croyez-vous que je pourrais être la maîtresse que je suis, sans mépris?

—Oh! du moment que tu ne me hais pas, que m'importe le reste! s'écria-t-il. Tiens, je suis à tes pieds. Fais de moi ce que tu veux, à présent. Bats-moi, je ne me défendrai seulement pas... Mais bats-moi donc! Hein! je t'en prie!

Il lui tendait la joue et elle y appliquait une mornifle légère; mais il insistait, l'implorait, en une démence de lâcheté.

—Han! bats-moi fort, oh! han! de toutes tes forces! J'ai besoin d'être battu par ces petites mains!

Alors elle lui allongeait un soufflet au travers du visage, et ce jeu l'amusant, elle finissait par le gifler coup sur coup, corroyant sa peau sous la bourrade de ses petits poignets furieux, toute grisée elle-même de son empire, prise d'un âcre besoin de lui faire mal. Il se mettait à pleurer de vraies larmes, des larmes de petit garçon fouetté, et geignait;

—Elle m'a battu! battu! Elle m'a battu!

Elle le gourmait plus impétueusement, et trépignant de colère, lui criait:

—Dis que tu ne le feras plus, salaud, cochon!

Il se couchait à ses pieds, baisait ses bottines, et dans un spasme d'amour et de douleur:

—Ferai plus, bramait-il. Te jure que ferai plus!

.....la sensation, comme en un autre jour, la sensation d'une contrée sans espoir, la sensation d'une immobile éternité de blanches et vides ténèbres,—non, pas même la sensation! car il ne sentait plus, il était couché sur le dos dans la vide horreur de ces latitudes sans commencement ni fin. Et de son flanc, un pic (comme en l'autre jour) jaillissait, effrayant, pareil à la colonne sur laquelle pesait le prodigieux ennui des cieux en silence, des rigides cieux aveugles que nul aile, nul souffle, nul espoir d'aurore ne décomprimaient. Or dans cette immobile éternité, lui-même stagnait, mué en une éternité de sommeil ou de mort (rien n'aurait pu l'en avertir), mais les yeux ouverts sur le vide et le silence, les yeux comme des gouffres ouverts sur ces gouffres de silence et de vide, avec le ver vivant d'un fixe regard au fond de ses orbites gelées.

Et dans ce regard, enfin, enfin un petit point se mettait à bouger comme un embryon issu de la décomposition même de ce regard; et une vie de matières grasses et visqueuses, en cercles qui lentement s'étendaient et giroyaient, en blanchâtres cercles d'opaques et gélatineuses nuées (comme l'autre jour), ensuite fluait des sécrétions de ce même regard liquéfié et toutefois inexorablement vivant. Toujours les laiteuses ondes s'élargissaient: c'était à travers l'espace comme l'oscillation d'une mer pâle où tout à coup un vibrionnement de larves, sans formes définies encore, en tournant sur elles-mêmes, rompait l'ascension onduleuse des vagues initiales. Elles tourbillonnaient d'une vitesse effroyable à présent, ces larves, précipitées à travers l'abîme et comme aspirées par la bouche d'un vortex qui ensuite les revomissait.

Mais à la longue, dans le vertigineux vironnement, commença à s'indiquer le dessin de confuses agrégations. Une ébauche de formes nouait et dénouait cette masse rotatoire qui, après un petit temps (une éternité dans cette éternité) finissait par former des lianes de viscères, d'immenses et serpentaires lianes comme de roses et vertes fleurs entortillées, car une lumière de diamants et de cristaux maintenant prismatisait le peuplement de cette ancienne horreur du vide paysage.

C'était bien des viscères, d'humains viscères que déroulaient ces lianes, en torses guirlandes, en grappes de fruits vermeils, en bouquets de sanglantes roses autour desquels soudain deux lèvres sans corps (rien qu'une bouche) volutèrent, agitées du souffle léger d'un vent de l'amoureux été. Et à mesure que cette bouche frôlait les jantes de cette roue de viscères, une pulpe de chair blonde naissait, sinuait, se gonflait; un ondoiement de mols seins féminins éclosait, avec au bout la palpitation de deux papillons roses,—les pointes mêmes de toutes ces gorges. Sous le tourbillon du vent de la bouche, elles fleurissaient par milliers, les divines roses de chair, les rafraîchissantes et neuves mamelles, comme un jardin de fleurs-femmes.

Mais ces gorges à leur tour grandissaient, se développaient en le rythme de beaux corps voluptueux auxquels seulement manquait le sourire des lèvres; et toutes, par dessus leurs bustes flexibles et lascifs, attestaient les béantes orbites et les caves maxillaires d'une tête de mort. Comme une houle de ventres et de seins, elles ondulaient par flots innombrables avec le balancement de leurs têtes hideuses sous des touffes d'ironiques lys et de flottantes chevelures. Et maintenant qu'elles se rapprochaient, il voyait que leurs ventres et leurs seins s'ouvraient à une blessure de lèvres restituant la forme de cette bouche dont se dénuait l'écharnement de leurs mâchoires. Et ces frauduleuses bouches se mouvaient comme autant de bêtes voratoires, en des étirements tentaculaires et succides.

Mais surtout une chose l'étonnait: à travers les trous de ténèbres de leurs orbites, elles dardaient le regard de Rakma, et leurs corps aussi, aux petits seins irrités et aux hanches ambiguës, étaient moulés à la ressemblance de cette fille. Avec des baisers au bout du geste de leur bras et qu'elles prenaient à leur corps (là où s'ouvrait le mensonge des bouches), ensuite elles nouaient une orchestique, arrivaient en dansant jusqu'à le toucher; et chacune à son tour arrachait un lambeau de l'étrange pic qui lui jaillissait du flanc, le donnait à manger aux cruelles lèvres affamées de ses plaies. Et à la fin il ne restait plus, à la place de son flanc, qu'une ouverture caverneuse par où son vert intestin dégorgeait et qui laissait béer l'ossature intérieure, dénudant la double dalle du sternum, comme si des nuées de rats lui avaient foui les entrailles.

Si du moins je pouvais récupérer ce qu'elles m'ont pris, se dit-il, encore mal éveillé de ce rêve horrible, avec les affres à la peau du rapt qui le dépossédait de sa virilité.

En ouvrant les yeux, il apercevait Mme Lépervié qui le secouait pour l'arracher à son cauchemar, tout épouvantée elle-même des bonds par lesquels il avait l'illusion de se lancer à la poursuite de ces stryges.

—Mon ami, qu'as-tu?

Il ne pouvait rien lui répondre. Un froid en ses os persistait. Bien qu'il fît nuit encore, il se leva, ralluma la lampe, aspirant à la lumière, après ces pâles ténèbres du chaos, à la lumière qui chasse les fantômes...

«Le 26 avril 18.

«MON CHER MAÎTRE,

«Comme suite à la lettre que vous m'avez fait l'honneur de m'adresser... Ah! mes enfants, mes pauvres enfants... Paule... Guy... Guy... Paule... mes enfants.»

Et le président, s'étant mis à son pupitre pour écrire une lettre, oubliait tout à coup l'avocat célèbre auquel il répondait, se prenait à répéter indéfiniment, en une totale incohérence, le nom de ses enfants jusqu'au bas du feuillet, l'écrivant comme un collégien essayant une plume avec le premier mot venu, d'un mouvement négligent de la main.

...Enfants, mes enfants... Paule! Paule! Paule!...

Puis son œil, sans presque un regard d'abord sous ses lasses et inertes paupières, errait à travers cette calligraphie d'un sens imprécis (Mes enfants... Paule... Guy... Paule...) Et rien encore en sa cervelle, rien en sa paternité, rien que le vide et la désuétude de toute pensée (Paule... mes enfants...). Mais petit à petit l'écriture s'imprimait sur ce flottement gélatineux de sa rétine; il semblait que le bec de sa plume, avec les traits qui hersaient son papier, à présent crevât la taie dont se cornait l'opacité de son œil, et cette opacité de son âme! Et il relisait à mi-voix: «Mes enfants... Paule... Guy... Mes enfants.» Il leva la tête, tressaillit, se remit à considérer l'écriture comme si en même temps se levait devant lui l'image réelle de ses enfants. Et il pensait:

«Quel magnétisme, quelle volonté hors de moi m'a fait écrire là vos noms, mes petits?» Sûrement une autre main poussait la sienne, une main qui, au fond de sa pensée, dans le sommeil de cette pensée, allait chercher leurs chers noms oubliés et comme des signes fatidiques les jetait sur la page blanche.

Alors il se souvint.

La veille, un jeu puéril, par accoutumance d'autres moins innocents—(les jeux qui, en leur chambre, amusaient sa sénile illusion de petite enfance éréthive),—l'avait fait galoper à quatre pattes sur le tapis, en aboyant comme un gros chien. Sur les rotules et les paumes, il s'était traîné parmi les tapis en un inexplicable et ridicule besoin de jouer à la bête. Et Paule, très espiègle, s'était mise à le pelauder des bourrades de ses petites mains, montée sur son dos et l'éperonnant du talon de sa pantoufle dans les côtes, avec des hue! chien! qui le stimulaient à une identification plus ravalante. Tout à coup Guy était entré, et d'une voix de reproche avait dit: «—Oh! papa!» n'avait dit que cela. Sur ce mot, il essayait de se relever; mais la fillette, à travers les bonds dont elle exaspérait sa course, s'accrochait des genoux à ses reins, criait: Encore! chien! encore! Et c'était Rakma qui à son tour inopinément pénétrait dans la chambre, acérait sur lui un regard durement ironique.

Une plus grande honte pour cette attitude humiliée subitement le faisait se redresser en sueur, la face congestionnée, des mèches à travers les yeux, disant à Paule avec dépit:

—En voilà assez, petite sotte!

...La tête dans les poings, il scrutait ces machinales écritures, qui à présent lui évoquaient la gaminerie des quatorze ans de sa fille, la voix déjà sérieuse de l'homme en son fils le rappelant à la gravité de l'âge et de la vie. Et lentement, une émotion le gagnait, il se parlait à haute voix dans le silence de son cabinet:

—Ah! mon Guy, que sera-ce de l'avenir, si déjà tu te reconnais le droit de me parler ainsi? (Il n'éprouvait nulle colère, mais une lassitude découragée). Ah! mon Guy! mes enfants! Votre père! Ah! oui, votre père!

Ensuite il se mettait à marcher parmi les meubles, la gorge serrée, incapable de maîtriser ses larmes.

—Mon Guy! j'avais comme toi grandi dans l'étude... le devoir... J'étais le jeune homme que tu es, l'homme que tu deviendras... Et puis, un jour, oh! ce jour à jamais exécré, ce jour de la première chute, de la chute irrémissible... Une heure ainsi sonne dans la vie... L'autre homme alors, le rôdeur à face de hyène, qui toujours guette à la porte, entre dans la maison de la vie,—l'autre homme, le rôdeur à face de hyène... Ah! mon Guy, mon cher Guy, chasse-le si jamais tu l'entends te chuchoter à l'oreille les paroles mauvaises! Chasse-le!

Il s'animait, bousculait les chaises dans un pas furieux, se prenant subitement à l'illusion de la présence du Maudit entré en son fils et que du fouettement de ses paroles et de son geste, il s'efforçait de mettre en fuite.

—Chasse-le, te dis-je, petit, de peur qu'il ne te mange comme il m'a mangé.

—Bah! (fit la Voix derrière lui), le péché, rappelle-toi, souvent saute une génération! En admettant que ton fils soit un paradigme de vertu, rien n'empêche qu'il engendre un mâle qui, lui (ah! ceci est possible!) te dépassera en coquinerie.

—Oh! s'écria Lépervié, en portant devant lui ses mains, car il *voyait* maintenant la Voix honteuse,—oh! je te reconnais à la fin! Tu es cet homme,—tu es l'homme primordial de ma race, invétéré en mon sang, l'homme atavique que ma volonté avait momentanément aboli et qui me reprend,—le spectre hideux de la race éternisé à travers la famille,—le spectre!

*27 avril.*—Un obtus et sec accablement, un gel du sens dans les fixes stagnations d'un polaire hiver cérébral, le fige sans espoir de délivrance. Absolu dégoût de la vie, aspiration à n'être plus. Nulle douleur cependant, rien que ce dégoût et cet accablement. Reclus dans son cabinet, il exige, par effroi de la lumière, la nuit des rideaux. Il se refuse à voir ses enfants, fait remercier sa femme qui lui offre de descendre auprès de lui. Il veut être seul, il a besoin d'être seul. Tardivement, il va les embrasser, puis commande qu'on lui dresse un lit dans la chambre réservée aux hôtes de la maison. Caractère général: le sentiment de l'irrémédiable.

*28 avril.*—Une tristesse tiède, moite, après la rigide cristallisation de la veille,—une tristesse qui le détend à la douceur de mélancolie des reverdis sous la mouillure encore des neiges, de la verdoyance frileuse des bourgeons pointant de la fonte des givres. «Ne plus penser ni lutter! songe-t-il, et insensiblement s'en aller!» Il se sent fini, vidé, sans plus d'intérêt pour rien.—Pour rien! pour rien! se répète-t-il languissamment en dodelinant la tête.

Vers midi, Rakma glisse un billet sous sa porte. «Demain,—voulez-vous?—à trois heures de l'après-midi, là-bas.» Il déchire le billet.

Quelquefois il repense à *l'autre homme*; mais tout de suite il se secoue pour écarter ce souvenir pénible. Non! non! pas cela! Mais se laisser aller! Et c'est cette peine, encore: tout au fond de lui le lever confus d'une figure d'un autre âge, l'obstiné travail de cette figure comme en songe pour déchirer les limbes d'oubli qui la dérobent,—et l'apparition enfin en lui de la figure odieuse de l'aïeul paternel.

*29 avril.*—Le matin, en se levant, un vertige lui brouille la vue. Il veut se rattraper à la table: il l'entraîne et roule, comme assommé. Le médecin, appelé, diagnostique l'anémie, ordonne des toniques, prescrit surtout un grand repos. Une envie de dormir longtemps, toujours, le relègue au lit dans cette chambre d'amis qui désormais (il l'a dit à sa femme), sera la sienne. Et il dort tout un jour, toute la nuit qui suit ce jour. Nulle souffrance physique.

*30 avril.*—De l'adynamie. Il essaie d'écrire; mais les mots obstinément se dérobent ou récusent l'appropriation au peu d'idées qu'il s'extrait. Serai-je à ce point atteint, s'interroge-t-il, que j'aurais à redouter l'amnésie? De là, une passagère irritation avec tendance à la combativité. Quand sombre enfin le soir sur l'ennui las de la journée, la figure de l'aïeul le récupère; il voudrait la bannir; elle persiste. Le père de son père. Une vive intelligence, petit à petit excoriée et rongée par les plus terribles acides. Un médecin, un homme de rare science, et qui finissait dans la basse crapule. Jamais son père, honnête homme de mœurs sévères, magistrat exemplaire, n'invoquait cette lamentable arsouille, son désespoir et sa honte. Mais plus tard, un parent ébruitait cette vie scandaleuse. C'était chez le mauvais ancêtre comme une gangrène héréditaire, le mal d'une race fermentée et complexe—des soldats, des prêtres, des explorateurs, des gens de robe et d'affaires,—et que le sang furieusement travaillait pour la débauche et l'héroïsme. À peine marié, il s'acoquinait à une concubine; son père naissait pendant la courte accalmie d'un ménage ravagé. Une démence de ravalement ensuite l'internait en des débits ignobles, parmi la populace des porte-faix, s'amusant à les soûler comme lui;—de là il roulait à des bouges d'escarpes et de prostituées. Et vers la soixantaine, enflé de chair putride, tout corrodé et vitriolisé d'alcool, l'apoplexie l'assommait un soir, sur le seuil d'un bordeau. Luxure, ivrognerie, toute sa vie qui eût pu être glorieuse se résumait en cela—et l'ignomineuse crevation au bout, comme d'une bête périssant en son venin sur un fumier.

Toujours ces souvenirs odieux reviennent se dessiner sur la vitre claire, oh! trop claire à présent de son esprit, avec une netteté corrosive. Il se rappelle aussi qu'à vingt ans, il ressemblait tellement à ce ribaud éminent que son père l'embrassait quelquefois avec un poignant désespoir, lui disant: «Tu es mon fils et pourtant ce n'est pas à moi que tu ressembles!» et lui mouillant le front de ses larmes salées, comme si sous leur ruissellement il tentait d'effacer l'autre image, qui ensuite reparaissait.

—Ah! je lui ressemble bien plus à présent, s'écrie Lépervié en s'excitant à une haine violente contre cette mémoire détestée. Je le porte en moi, il est dans mon sang, il a ressuscité dans le triste homme que je subis. Ah! tout s'explique! Et nul rachat! L'arbre de ma race, sorti de ces entrailles pourries, à présent me pourrit mes propres entrailles.

*31 avril.*—Une nervosité inquiète, irritée, avec pincements à l'échine, démangeaisons à la peau, le malaise oppressé d'un homme suivi, la nuit, par une ombre qui lui emboîte le pas et derrière lui fait son geste, s'arrêtant s'il s'arrête, marchant s'il se remet à marcher.

Lépervié ne peut plus récuser l'endosmose, la circulation dans son organisme du vieil homme, de l'aïeul sorti du temps, échappé aux bandelettes du suaire et qui, par la transmission de l'esprit de péché, s'est recomposé au fond de ses moelles. À présent il s'avise du secret de ses révoltes antérieures, de ses inutiles combats avec quelqu'un qui voulait entrer, des graduels déchets de sa conscience où déjà l'intrus s'ingérait, où déjà il s'essayait au ton de commandement du maître.

À huit heures, après le dîner, une des servantes vient allumer la lampe de son cabinet. Il s'enferme aussitôt, prend derrière un rayon de la bibliothèque une poignée de livres à images (—Ah! qu'ils me suggèrent au moins un bref et amer plaisir dans cette vie sans espoir!)—en ouvre un qu'il feuillette, en quête de libidineuses turpitudes. Mais presque immédiatement, suspectant en cette basse curiosité l'immixtion du tentateur, il referme avec humeur le livre et, de peur de succomber une seconde fois, souffle la lampe. Tout à coup, dans la nuit de la chambre, éclaboussée de la lueur d'une fenêtre éclairée en une maison voisine, il voit apparaître un visage, le visage d'un homme qu'il n'aperçoit pas très nettement sur le fond de confuses ténèbres et qui pourtant, par la taille et les traits, ressemble à la répugnante figure qui, depuis deux jours, le visite. Chose singulière, il ne sent plus aucune irritation, il éprouve même une satisfaction à lui voir résigner son amorphie pour cette forme immédiate.

—Oui, c'est bien moi, dit l'apparition (sans que toutefois Lépervié voie remuer ses lèvres, et pourtant il est sûr que ces lèvres lui parlent). C'est bien moi. Le moment est venu (tu admettras que je n'y marchandai pas la patience), où tu peux me regarder. Plus rien ne s'oppose à ce que tu me regardes, puisqu'en me regardant, c'est encore toi que tu as dans tes yeux. Car toi et moi, nous sommes un.

—Soit, dit le président. Je te vois, je te reconnais. Tu es l'épouvantable drôle qui...

—Oh! je continuerai pour toi... Le drôle qui déshonora le nom que je t'ai transmis et que tu déshonores à ton tour, après l'avoir transmis à d'autres. C'est entendu. Mais il arrivera un temps où un tel outrage ne te touchera pas plus qu'il ne me touche.

—De l'ironie! Voyons, point de persiflage. Dis-moi tout net le motif de ces obsessions odieuses. Pourquoi me harcèles-tu? qu'attends-tu de moi?

—Oui, oui, c'est cela, causons posément. Eh bien! il me plaît (c'est dans l'ordre, mon cher!) que ton unique volonté—et remarque quels avantages en résulteront pour toi—soit désormais celle que je t'imposerai.

—Quoi! fit-il avec résolution, je ne pourrais plus penser ni vouloir en dehors de cet empire funeste? Non, non! je lutterai, je me débattrai sous les griffes dont tu espères m'étreindre, dussé-je passer par de pires tortures que toutes celles que, pour te résister, j'ai déjà subies.

—Et cependant toute résistance fut vaine, toute résistance à jamais sera vaine!

—Ah! s'écrie éperdûment Lépervié en se tournant vers un christ décorant un des retours de la bibliothèque, je me mettrai aux pieds de Celui qui nous regarde là. Je prendrai ses pieds entre mes mains, je les baiserai et lui demanderai la force de me sauver en lui!

—Hypocrisie! Mensonge! Il t'est bien trop doux de pécher sans que ta volonté y ait de part, en t'absolvant au besoin avec l'excuse d'impulsions fomentées par un suppôt en toi. Et d'ailleurs, raisonne: n'est-ce pas une surnaturelle et merveilleuse loi—appelons-la fatalité, cela te dispensera de toute résipiscence—qui du sang fait sortir le sang et en toi perpétue la race perpétuée par moi-même? Et puis... et puis, ce Christ invoqué échappa à de bien diaboliques mains, à des mains que, pour les purifier, ligota la sainte Inquisition et qu'elle rôtit dans les flammes, avant-courières de l'inextinguible feu,—car, admire ton aveuglement,—ce fut cette horrible canaille de Duquesnoy qui l'extirpa des veines du bois!

—Non, non (de nouveau implore Lépervié en un cri de désespoir); n'exige pas cela de moi. Laisse-moi, par les miens issus de toi à travers les âges, laisse-moi, par le sang qui m'attache à eux et qui me vient des tiens, répudier cette coupable connivence!

Aucune parole ne répond. Il cesse de l'apercevoir. J'aurai rêvé, se dit-il en se frictionnant les paupières. La chambre, dans la clarté versée par la lampe, a repris son silence de paix triste. Et il ne voit plus que le vide, n'entend plus que ce silence du vide. «Toute résistance fut vaine, toute résistance à jamais sera vaine.» Pour se remettre de cette terrible commotion, au bout d'un instant il se soulève, rallume la lampe, machinalement se met à rouvrir les coupables livres épars sur la table.

—Allons, se dit-il, vieux robin, dameret fourbu! Confesse donc que la vertu n'est rien au prix des paillardes blandices que t'ingèrent ces images!

*1er mai.*—À quoi bon se défendre encore? Dehors, une odeur de jeunes verdures, le friselis d'un vent frôleur, et des ondes de soleil, et des émois d'ailes, et des lumières de prunelles de femmes instaurent le roi Printemps. Un fiacre les mène au bois, l'après-midi.—«Puisque aussi la destinée me persuade un définitif renoncement! pense Lépervié, allégé, résigné, puisque le chancre de l'hérédité adhère sans remède possible à ma peau!

Vers la mi-juillet, Mme Lépervié, sur le conseil du médecin, se décidait à partir pour la mer. Elle emmenait ses enfants et la femme de chambre. Lépervié, lui, continuerait à habiter la maison jusqu'aux vacances judiciaires. Et pour Rakma, ayant obtenu d'utiliser le temps de cette absence à la garde de sa parente toujours plus délabrée, elle jouait la comédie de baiser de ses froides lèvres, en des adieux affligés, Mme Lépervié et Paule, s'en allait réellement, mais à leur chambre où elle attendait le départ de la famille. Ensuite, la maison vidée, au soir elle rentrait avec lui sur la pointe des pieds, évitant le frôlement de ses robes contre les balustres de l'escalier, par crainte de la cuisinière, demeurée au service du président, (il avait congédié récemment son valet de chambre pour éclaircir leur domesticité). Et cette première nuit, ils la passaient ensemble dans le lit de l'épouse, le lit encore une fois et plus irrémissiblement souillé, le lit définitivement octroyé à leur concubinage.

Trois jours entiers il la tint cachée dans l'appartement, tirant la clef quand il partait pour le Palais, lui revenant l'après-midi avec des friandises dissimulées en ses poches, s'enfermant avec elle sitôt que la cuisinière montait se coucher. Mais cette domestique dont il fallait toujours modérer le zèle, leur suscitait une gêne permanente. Lépervié, sous prétexte qu'il s'accommoderait mieux des menus du restaurant, la renvoya pour un mois à son village. Et enfin, ils restaient seuls, uniques habitants de la maison déblayée, avec le mystère de leurs amours scellé par la désuétude de tout commerce extérieur, derrière les volets clos et les hermétiques verroux des portes. Alors s'exupéra pour eux, dans la sensation d'une vie limitée par leur caprice, le délice de s'appartenir en déjouant toute surveillance.

Presque chaque matin, le facteur glissait dans la boîte, avec le reste du courrier, une lettre de Mme Lépervié toute chaude de vieille affection et où elle lui disait leurs promenades sur la plage, les salutaires saturations des bromes maritimes, les tendres pensées dont à distance elle revivait leur vie de vieux époux. Régulièrement il répondait; Rakma elle-même l'obligeait à répondre, s'il paraissait atermoyer ce soin; et sous le penchement de son corps félin, il écrivait, ne trouvant pas toujours à remplir ses quatre feuillets et soufflé par elle qui l'aidait à mentir et réchauffait ses tiédeurs.

—Mais, mon ami, disait-elle, avec une radieuse hypocrisie, le style est bien froid. Il conviendrait d'y infuser plus d'expansion. N'est-ce pas votre devoir de chérir votre femme? Oh! je ne suis pas jalouse! Moi et vous, c'est autre chose! (Ceci souligné du plus torve sourire.) Et elle finissait par lui dicter des pages entières de bonne amitié laborieuse.

Pour mieux savourer leur impunité, il imagina une indisposition que justifiait depuis quelque temps l'indolence de son zèle auprès du tribunal. Des jours entiers, relégués dans le crépuscule des chambres aux rideaux tirés, délicieusement énervés par la touffeur de ces atmosphères condensées (entre les joints des portes soufflaient les torrides haleines de la rue), ils s'amusaient à éterniser leurs siestes au lit, ne se vêtant plus, errant ensuite par les escaliers en leur déshabillé de réveil. Et comme elle était vaine de son corps, de son terrible et joli corps d'acier, où les sexes pour des arts redoutables se combinaient, la maison quelquefois voyait marcher par les muets tapis une forme sans voiles, la nudité méchante de cette petite gorge raide et de ces hanches aiguës de fille-garçon brûlant, dans la chaleur de l'air estival, comme un flambeau vivant de chair. Elle brûlait, véritablement, cette créature de désir et de colère, dévorée de telles flammes libertines que, même l'hiver, sa peau nue ardait comme un brasier. Et ce brasier, elle le portait en elle, dans l'Etna de son sang, dans l'effrayante combustion de son sang impudique, incendié d'inassouvissables ardeurs.

Sans cesse à le cingler de ses rages impétueuses, elle ne tourmentait le plus souvent qu'une masse inerte et pâmée, la force éteinte de l'homme sous la morsure et l'excès des baisers.

—Déjà! déjà! disait-elle, furieuse de les sentir s'émousser sur la mort de sa chair, en le poignardant de ses regards plus excitants qu'un thermantique. Et elle le rudoyait, injuriait sa virilité déchue, le suppliciait de caresses acérées, imaginant de mortels recours qui à la fin le reconquéraient.

Un jeu plaisait à Lépervié. Elle lui commandait de se mettre à genoux et aussitôt il s'accroupissait, se traînait à quatre pattes en gémissant. Comme une petite reine indienne, elle s'asseyait sur ses reins, lui talonnait les côtes pour le faire galoper. Il précipitait sa course, s'usant la peau à râcler les parquets, tournant autour de la chambre ainsi qu'en une piste, se cavalant à travers les meubles, ruant du croupion jusqu'à ce que, épuisé, à bout de forces, écumant, il s'abattait fourbu. Mais tout de suite les poings, du haut de ce chevauchement de la féroce maîtresse, le pilonnaient, cognaient comme des mailloches sur sa chair tendue en peau de tambour, lui martelaient les os. Et le front rasant les tapis, il n'apercevait pas l'insolent orgueil de son regard et aussi les mépris de ce regard, tandis qu'inséré entre les fines arêtes cruelles de ses jambes, tout ruisselant de sueurs, il se redressait, précipitait son trottinement d'animal à face d'homme. Cet abject intermède, en lui pinçant voluptueusement les moelles, agissait sur lui comme un actif cathérétique et par la douleur ravivait en lui les nerfs exténués.

C'était plus que jamais le goût de n'être plus, sous le piétinement de l'idole, que la créature conspuée et volontairement servile, dégradée à l'égal de la bête domptée dont il imitait les rauquements d'impuissante révolte sous le talon qu'elle lui appuyait sur l'échine. Afin que la bestiale assimilation fût absolue, elle s'armait d'une baguette, comme un belluaire entrant en une cage, le fouettait pour le faire rugir de colère et de plaisir, l'excitant en outre de ses cris par un simulacre injurieux de la rancune des lions et des tigres enfin disciplinée. D'autres fois, restituant le prodige de Circé (et n'était-il pas consommé depuis longtemps pour l'indigne Lépervié!) il se muait, pour se ravaler plus ignominieusement, en pourceau hognonnant et lubrique, reniflant aux bourrades dont elle le traquait, l'odeur de sa chair en coup de vent! Et une aberration inouïe le faisait goûter un plaisir de dilettante usé à gravement l'écouter, nue entre ses genoux, lui débiter le récit de Théramène, d'une voix de tragédie démentie par un geste dont elle le fatiguait.

Aux vacances, Lépervié, réclamé avec instance par sa femme, faisait enfin sa malle. (Mais va donc, lui persuadait Rakma, elle a bien ses droits aussi!) Une après-midi, il débarquait à la mer, vieilli et raffalé, les bajoues blettes, la peau du col caronculée de flasques ganglions, l'œil éteint sous de ravineuses cernures, tout le visage craquelé de pattes d'oie. M^me^ Lépervié poussait un cri dès qu'elle l'apercevait, se jetait dans ses bras en pleurant:

—Ah! mon pauvre ami! mon pauvre ami!

D'autres constatations ensuite l'atterrèrent: des stupeurs par moment vitrifiaient sa prunelle; une légère nutation signalait le fléchissement des tendons du col; à de furtives piqûres qui lui épinglaient le rachis, il se massait la nuque d'une friction lente et gauche. M^me^ Lépervié voulut requérir un médecin; mais il s'irrita, protesta avec vivacité.—«Un médecin, pourquoi faire? C'est un excès de travail; j'ai forcé la dose. Il n'y a autre chose.» Il se contraignait à sortir de grand matin, par horreur des rencontres, gagnait à pas mous les dunes où, étendu à plat sur la bruyère, dans le renfoncement des sables, un sommeil opiacé subitement le figeait. Pour conjurer son adynamie, il entrait vers l'heure du déjeuner se doucher dans un local hydrothérapique, mangeait ensuite avec voracité. Au bout de quinze jours, l'air salin, les bains, l'ingestion copieuse des nourritures saignantes, un désintérêt complet de tout ce qui n'était pas sa normale ataraxie à récupérer, le ravigourèrent. Son œil s'élucida; l'endolorissement de ses vertèbres se dissipa; un reste de dodelinement seulement, par intermittences, déjouait son effort pour le maîtriser. Mais surtout, c'était en lui un apaisement foncier de la chair, une détente des nerfs et des sens que le souvenir même n'aiguillonnait plus. Il percevait confusément la sensation d'un danger, d'une maladie grave éludés. Tout un temps il cessa de penser à Rakma; un jour que Mme Lépervié énonçait son nom, il lui arrivait comme la suggestion d'une personne connue dans un voyage autrefois; il dut faire un effort pour se remémorer la couleur de ses yeux.

Puis inopinément Mme Lépervié lui annonçait l'arrivée de l'institutrice. Il l'avait laissée là-bas avec une amie d'enfance qu'elle rencontrait un jour et qui l'emmenait passer les vacances à la campagne, chez ses parents. Et voilà qu'elle se lassait de la monotonie de sa vie rustique et qu'elle le relançait dans cette convalescence de son corps et de son esprit. Subitement il la revit toute entière, se rappela les supplices et les folies de leur existence à deux dans la solitude de la maison, revécut en un éclair tout le délabrement de ses pauvres membres martyrisés par un opprimant amour.

—Non, se dit-il, c'est fini. L'avertissement, du moins, m'aura été salutaire.

Mais le jour où elle débarquait, la bête le traînant, il allait la prendre lui-même sur le quai et la ramenait à l'hôtel.

—J'ai soif et faim de vous, lui disait-elle pendant le trajet. Ces paysans avec leur énervante stupidité m'étaient devenus odieux. Je n'aurais pas pu vivre là un jour de plus. Toujours je rêvais de vous, mon chéri.

Il ne répondait pas et elle le regardait, voyait sa mine flétrie et sans entrain.

—Ah! mon ami! mon pauvre ami!

Un cri pareil de sa femme lui revenait, mais à travers quelle affliction de bonne tendresse! Et Rakma du coin de l'œil continuait à l'observer, avec le cruel sourire de sa bouche où il avait la nette sensation que pantelaient des lambeaux de sa chair et qui sur sa débilité soufflait comme un petit vent froid de dédain.

—Oh! dit-il, en se redressant sous le regard qui l'auscultait et sondait ses reins, un peu de faiblesse seulement... Et encore ne vient-elle pas de ce que vous pensez.

—Mais, je ne pense rien. Et puis, si cela était vraiment, cela vous rendrait tout à fait intéressant.

Ils marchaient un bout de chemin sans rien dire, puis, lui désignant l'hôtel de la pointe de sa canne:

—C'est là, fit-il. Je ne pensais pas vous y revoir de sitôt.. Et... et... Je ne sais plus ce que je voulais dire.

—Et même, soyez franc (voilà la chose!), vous comptiez ne m'y pas revoir du tout. Eh bien, mais vous êtes gentil! Comment! je plante tout là pour vous revenir, et c'est l'accueil dont vous me payez!

—Oh! gémit-il, tu sais bien que non et que j'en passe toujours par ce que tu veux... Mais, ajouta-t-il en bornoyant devant lui, n'est-ce pas ma femme qui vient là au-devant de nous?

—Oui, votre femme, je crois, ou celle qui porte ce nom.

En effet, M^me^ Lépervié les avait aperçus et se dirigeait à leur rencontre, un pliant sous le bras, prête à descendre à la plage.

—C'est donc vous, ma chère? dit-elle en tendant la main à Rakma. Vous savez que vous êtes toujours la bienvenue. (Mais pourquoi le ton de ma voix récuse-t-il la cordialité de ces paroles, pensait-elle, troublée.) Et puis, il y avait longtemps déjà... Vous nous manquiez. Demandez au président... Mais j'y pense: vous seriez bien aimable, mon ami, si vous vouliez...

Elle venait de remarquer que Rakma portait avec lassitude son sac de voyage; elle le lui prenait, le passait à Lépervié en le priant de le remettre au concierge de l'hôtel. Pendant ce temps, elles iraient rejoindre les enfants sur la digue.

—Monsieur le président me paraît un peu souffrant, insinua négligemment Rakma en évitant de regarder M^me^ Lépervié, quand elles furent seules.

M^me^ Lépervié parut gênée, dit précipitamment:

—Ah! vous vous êtes aperçue, *vous aussi*?

Et au bout d'un instant elle ajouta sèchement:

—Mais du tout. C'est une erreur. Je vous assure que le président va très bien, *à présent*. Tenez, portez donc ce pliant.

—Oh! elle est femme, pensa Rakma. Elle veut me faire sentir qu'elle seule a le droit de prendre attention au président... À présent il va très bien... à présent que l'autre n'est plus là. L'autre..., moi peut-être! Oh! elle ne sait rien, et pourtant elle sait!... Eh bien, soit, je le porterai, ton pliant, comme la domestique que je suis, que tu me fais sentir que je suis. Mais porte ta croix, toi, jusqu'à ce que tu en tombes sur les genoux.

—Et cette pauvre parente, ma chère? demandait Mme Lépervié avec intérêt.

Leur séjour à la mer se prolongea.

Elle affectait à l'égard du président une froideur cérémonieuse quand, à table ou à la promenade, la vie commune les mettait en présence. Mme Lépervié, d'ailleurs, paraissait les surveiller: c'était l'avis de Lépervié, qui l'avait dit à Rakma, mais elle avait haussé les épaules.

—Mon cher, votre femme est une sainte. Le soupçon du péché ne va pas jusqu'aux régions qu'elle habite.

Deux fois seulement, requis par un luxurieux dessein, ils avaient pu s'échapper et clandestinement s'étaient joints dans la dune.

Une après-midi de braises pilées que la famille, à petits pas de flânerie le long du déferlement des vagues, avait gagné la solitude de la plage, loin des cabines et des tentes, Mme Lépervié, fatiguée, alla s'asseoir au bas d'un mont de sable. Le président, les jambes fauchées d'un récent excès, s'était étendu près d'elle et, abrité du soleil par un parasol, déployait des journaux qu'il se mettait à parcourir sans curiosité. Guy et Paule, en compagnie de Rakma, alors poussèrent à travers la bruyère, pour herboriser et traquer les papillons. Mais un long délai s'écoula sans qu'on les vît reparaître. Dans les pâleurs du soir imminent, Mme Lépervié s'inquiétait, les croyant égarés, tandis que, l'estomac fourgonné par le jeûne, le président se fendait en bâillements convulsifs et déplorait le désheurement qui allait les obliger à se regouler avec les restes du souper manqué de l'hôtel.

Enfin ils revenaient essouflés, des gerbes de fleurs et de graminées dans les bras. Ils avaient perdu leur chemin, s'étaient aventurés vers l'intérieur de la dune si loin que, pour regagner leur point de départ, ils avaient dû marcher toute une heure. Paule essaya de les amuser d'un récit: ils étaient entrés chez un pêcheur; une vieille femme, en leur lisant dans les mains, leur avait dit la bonne aventure.

—Moi j'épouserai un officier, un joli officier, figure-toi, maman. Et puis elle a dit, cette femme, que Guy épouserait Rakma. Oh! c'était bien drôle, va!

Lépervié retomba assis, de saisissement.

—Mais c'est stupide aussi d'écouter de pareils propos, s'écria-t-il, la voix rauque, sentant se congeler ses entrailles.

Il regarda Rakma qui, toute droite, indifférente, se détachait à la cime des sables et de là-haut, songeuse, sans nul visible intérêt pour l'histoire de Paule, considérait l'horizon obscurci, la nocturne splendeur des eaux sous l'ensanglantement du ciel.

—N'auriez-vous pu épargner à ces enfants...?

—Quoi? fit-elle en reportant sur lui son regard où un instant avait tenu l'immense mer, insondable comme son vouloir, et qui, sous les sombres flambois du couchant là-bas s'effumant en rouges fumerons, reflétait ce soir de pourpre et d'incendie.

—Mais, mon ami, intervint M^me^ Lépervié en riant, je ne comprends pas tes susceptibilités. L'histoire est si drôle que le mieux est d'en rire.

—Oui, avoua-t-il, ennuyé de l'importance qu'il avait donnée à cette aventure. Tu as raison; mais c'est moins de cela qu'il s'agit à présent que de notre repas raté. En route!

Il chercha son fils et l'aperçut qui, grêlement silhouetté par la clarté montée des eaux et qui, seule, sous la mort du ciel, dans l'enténèbrement des célestes plages, illuminait encore l'étendue, tournait vers Rakma debout sur la butte ses grises prunelles fixes, seules claires, elles aussi, en son visage de nuit, en la confuse pâleur de son visage noyé de songe et de nuit.

—Guy! appela-t-il, subitement effrayé.

—Père.

—Mais viens donc!

Il lui prit le bras, et précédant les femmes, ils s'en allaient sans rien se dire. Mais Lépervié par moments ne sentait plus à ses côtés qu'un corps se mouvant en gestes mécaniques et subissant sans ressort les impulsions qu'il lui communiquait.

«Ah, mon Dieu! lui aussi! se pourrait-il!»

Ils rentraient à la mi-septembre.

Puis l'encombrement des affaires du Palais absorbait tout un mois le président. Guy atteignait ses dix-neuf ans et se mettait à suivre les cours universitaires. Et tout à coup il leur arrivait un événement.

Un matin, Paule, mortellement désespérée et les yeux en larmes, avec des sanglots et des rougeurs pour une mystérieuse blessure dont elle croyait qu'elle allait mourir, venait se jeter dans les bras de sa mère, sans voix pour l'aveu, battue de telles secousses de son petit corps qu'elle demeurait tout un temps cachée dans le sein maternel et ne trouvait ensuite que son pardon à implorer:

—Maman! maman! oh! c'est affreux! Pardonne-moi.

Alors M^me^ Lépervié, avec des caresses de mots et de sourires pour cette grande honte qui l'humiliait jusqu'aux pleurs, lui révélait l'inévitable mal du flanc de la femme. Et Paule restait tout ce jour à taciturnement dérober au fond d'elle le secret qui la pâlissait d'un air de petite malade et la peur encore qu'elle s'en irait de cette plaie de sa pauvre chair.

M^me^ Lépervié ensuite, avec des pudeurs d'aveu, communiquait au président la nouvelle. Mais, au lieu de se réjouir comme elle, il en demeurait triste sans cause, ému de pitié pour cette enfance qui finissait, cette pâle étoile de la nuit de l'enfance qui s'évanouissait dans l'aube de la nubilité.

—Ah! ne rien savoir! murmura-t-il, comme c'est bon! Et puis... et puis... la pauvre enfant!

Il ne pouvait au juste formuler le trouble dont il se sentait tourmenté, une peur pour le subit déliement de ce sexe qui requiert l'amour, une peur surtout de l'amour et des fautes de l'amour que les ferments du sang attisent dans l'éveil du sexe. Et plus vaguement encore (oh! subtiles et imprévues, ces nuances en lui!) il éprouvait la sensation que toucher désormais à la chair, c'était attenter à la candeur sacrée de cette chair de son enfant, au mystère de l'initiation occulte pour elle!

—Vous autres femmes, dit-il, vous ne pouvez pas penser comme nous là-dessus... Cet avènement que rien ne peut conjurer vous semble tout naturel. (Il ne voyait pas les larmes de sa femme, ces larmes distillées par une sensibilité autrement fine que la sienne, ces larmes de joie mais aussi de regret et de mélancolie.) C'est le don de la Grâce pour l'enfant qu'il égale à vous, qui la rapproche de vous dans une communion de pareille destinée. Mais pour nous, c'est l'inconnu de la femme de plus tard qui déjà nous rend soucieux,—ah! de la femme heureuse ou douloureuse que par l'amour elle sera plus tard!

Comme le bienfait d'une eau lustrale, ce baptême de la vierge en leur enfant détermina chez lui une momentanée et salutaire réaction. Il répugnait à toute tentation: «Enfin, enfin l'ère serait-elle évolue des tristes hontes? Aurais-je eu tort de désespérer trop tôt?». Il en venait à conspuer la fonction mystérieuse départie à l'attrait invincible des sexes.

—Quelle infernale ironie, pensait-il, quel amer mépris du créateur pour le limon qu'il précipite au moule de la vie atteste l'ignominie de ces organes situés dans la région des viscères, parmi les sécrétions et les excréments des latrines qui dégradent notre organisme! Notre fangeux amour, pour que le péché en éclate plus abject, s'enveloppe des puanteurs de notre ordure, et nous ne goûtons la volupté qu'à travers l'inefficace remords de notre déchéance, en nous roulant sur le fumier des lies remuées de notre décomposition!

Sa clairvoyance encore une fois manquait à l'avertir qu'ainsi ressenti, cet accès virtuellement dénonçait une plus virulente inquiétude à l'endroit du flanc ténébreux de la femme.

Il arrivait un moment où le président tout à coup se tourmentait d'un certain regard attentif et froid dont à la dérobée l'observait Guy,—un regard qui, sitôt que Lépervié à son tour le regardait, se détournait et s'efforçait à paraître indifférent.

«Nous serions-nous trahis en sa présence? se demandait-il avec un malaise de ces deux yeux lourds en son esprit. Ou quelque prémonitoire soupçon (mais ce serait alors un vrai vent de défiance autour de nous!) stimulerait-il en ce sérieux jeune homme un penchant à nous surveiller! Ah! je ne le sens que trop bien, aucune inquisition ne pénétre plus avant dans le père que le doute d'un regard de l'enfant engendré de ses entrailles, aucune sonde plus profondément ne remue la conscience du méfait et la peur que toute clandestine ruse avorte.»

Lépervié à force de se persécuter de ce penser, n'avait plus, quoi qu'il fît pour les chasser que ces yeux scrutateurs de son fils devant lui. Et petit à petit, il en venait à ne plus douter, à s'affirmer que son fils avait surpris (à travers les portes où à la rue?) l'évidence de leur liaison. Ces yeux avéraient une mûre certitude, ces yeux indéfinissables qui dans le recul des jours, à travers leurs furtives et équivoques prunelles, prenaient des significations contradictoires, variant entre le blâme et la pitié, entre l'hostilité et le pardon. Plutôt que cette honte bue, tout sacrifice maintenant lui semblait acceptable.

Mais la nature de ce sacrifice, à la réflexion, ne s'indiquait pas nettement. En aucun cas, se dit-il, il ne peut-être question de rupture; notre attachement toujours doit demeurer hors de cause, car telle est la force de ces liens mutuels que pas plus que je ne pourrais me passer d'elle, elle ne pourrait résigner son amour pour moi.

—En effet, insista perfidement la Voix, n'est-elle pas la ventouse qui adhére à tes sensualités impénitentes? De ses tentaculaires mains elle s'accroche aux intérieures parois de ton être, pieuvre gloutonne ancrée en toi et qui t'absorbe en d'inextinguibles soifs. Paralysé par ses destructifs et hypnogéniques fluides, nul recours de ton endosmose ne pourrait plus viser à l'annihiler de ta vie.— Cela me paraît indéniable, opina Lépervié sans discussion. Il conviendrait donc simplement de s'arrêter à un moyen qui, sans aliéner nos droits réciproques, me conférerait des garanties, quant à ma propre sécurité chez moi. Mais, se dit-il, après un moment, ce moyen est tout trouvé. Il s'agirait seulement de la reculer hors du cercle de la maison. C'est cela même, oui, l'écarter et que je puisse la voir librement, sans danger, loin de l'attention et du soupçon en éveil.

Insidieusement, avec de prudents détours, (c'était le dernier jour qu'ils allèrent en cette chambre, devenue à son tour sans attrait par l'habitude), il aborda le thème, évoqua les dix-neuf ans de Guy, («—Diable! ça nous vieillit, ma chère!»)—allégua l'avantage qu'il y aurait pour eux à ne plus cohabiter sous un même toit.

—Ah! oui, je comprends, interrompit Rakma. Oh! c'est très saisissable... Un petit appartement, n'est-ce pas, où je serais dans mes meubles?

Il douta si elle raillait, un peu gêné tout à coup par l'air détaché avec lequel elle coupait court à son argumentation.

—Tes meubles, sans doute. Je ne regarderais pas à la dépense; je te voudrais logée confortablement, quatre ou cinq pièces, une petite maison même si tu préférais.

—Ah! vous iriez jusqu'à la maison?

—Tu aurais aussi ta fille de chambre, tu arrangerais ta vie comme lu l'entendrais, tu serais ta maîtresse, en un mot.

—Et en deux mots la vôtre toujours, bien entendu. Mais c'est fort gentil, ce petit roman. Seulement...

—Seulement?

Et sa voix trémolait.

—Seulement (en détachant les syllables) je n'y con-sens-pas.

Et tout de suite, allant à l'extrême, elle s'emportait, courait par la chambre à petits coups de talons rapides dont elle martelait le tapis, et lui hachait au visage ces phrases rageuses:

—Votre maîtresse, soit, mais la maîtresse entretenue, non pas! La fille qu'on paie, à qui on loue une aisance, ah! c'est ça que vous rêviez! La catin qu'on a comme un cheval, comme une bête coûteuse, hein? la demoiselle Trois-étoiles chez qui l'on fait porter ses pantoufles et qu'on cache et de qui les gens disent, quand elle passe: «C'est la petite une telle. Elle a un vieux qui lui fait un sort»! Rien que cela de vice, mon petit père! Et comme ça on me flanquerait à la porte, on me chasserait pour avoir la paix chez soi! Je redeviendrais la petite institutrice, un peu plus qu'une femme de chambre à qui, en la remerciant, on double ses gages pour lui laisser le temps de se nantir autre part!... Ah! mon cher, ce que vous me semblez vous, en ce moment!

—Je t'assure, rétorqua Lépervié, que je ne pensais qu'à notre bonheur.

Mais comme un volant, elle reprenait le mot, le faisait danser et rebondir sur la raquette de son mépris.

—Notre bonheur? vous appelez cela du bonheur? Cette vie de mensonges à nous cacher de tous, à perpétuellement enfouir, comme une ordure, en des trous de chambre notre besoin de faire le mal! Du bonheur! Mais il n'y en a jamais eu, il n'y en aura jamais pour nous!

Et se croisant les bras:

—Vous ne comprenez donc rien, vous? Vous ne devinez pas que si je tiens à vous, c'est parce qu'en faisant ce que nous faisons, nous sommes d'abominables créatures, et que c'est ça qui m'amuse, oui, le crime qu'il y a à nous coller la peau à la peau, à nous manger d'un amour où il n'y a pas d'amour, où il n' y a que cela, la peau! De l'amour! ah! c'est bien pis! C'est du feu que nous nous crachons de bouche à bouche, du feu de quoi incendier les lits où nous nous vautrons... Mais ne dites donc pas ridiculement que nous sommes heureux! À moins que ce ne soit ça, le bonheur, hein? d'être des criminels et des damnés! Et tenez, oui, cela seul me tient au corps, et à un tel point que si demain il n'y avait plus de perversion à être l'homme et la femme que nous sommes, mais, mon cher, je ne vous laisserais seulement plus approcher de moi!

Il jugea tout débat sans portée en ce flux de paroles qu'elle lui lâchait de ses lèvres de colère qui, même en cet emportement, demeuraient encore étrangement des lèvres de baiser et d'amour, comme si, pour la combustible et rétive fille qu'elle ne pouvait cesser d'être, l'amour et la fureur dussent se baiser à la fois sur sa bouche. Il se mit à ahaler longuement les verres de son pince-nez qu'il séchait et polissait ensuite avec son mouchoir, aimant mieux laisser passer le torrent. Mais cette occupation à la longue lui paraissant puérile, il se leva, fit le tour de la chambre, et enfin, s'arrêtant près d'elle qui, à présent, debout devant la fenêtre, tambourinait du bout des ongles contre les vitres:

—Eh bien, déclara-t-il, ce sera encore une fois comme tu veux. N'en parlons plus.

Il l'attirait alors par les coudes jusque contre sa poitrine; elle se laissait faire, sans cesser d'abord de lui tourner le dos. Mais petit à petit d'une flexion du buste elle virait sur elle-même, lui frôlait le visage des pointes de sa gorge brève; et il levait les yeux, tous deux se mettaient à rire. Puis il l'asseyait sur ses genoux, disait en lui mangeant les frisons de la nuque:

—Mais quelle femme es-tu donc? quelle femme si différente des autres pour que je t'écoute ainsi parler sans en être épouvanté?

Elle le considéra un instant sans répondre; et ensuite l'enveloppant d'un ensorcelant sourire de haine et de volupté:

—Je suis celle qu'on ne connaît pas, articula-t-elle avec lenteur.

—Oui, nuança d'un peu de moquerie Lépervié,—le sphynx à qui l'on demande le mot de l'énigme et qui vous dévore au lieu de vous répondre.

—Alors aie peur, mon président!

Et, pivotant sur ses talons, elle lui échappait, pointait sur lui, par-dessus son épaule, en continuant à sourire, l'ironie et l'appel de ses yeux acérés comme des couteaux, enlaçants comme des lianes.

—Tes yeux, murmurait-il, perdu en un éveil de visions au fond de leurs orbes, avec les syllabes qui assumaient le thème de sa destinée asservie,—tes yeux comme des cygnes noirs et des lys en deuil,—tes yeux commandant le renoncement à tout espoir—tes prophétiques yeux au fond desquels s'érige l'appréhension des croix,—tes yeux!

Une mère de sang mêlé, fille unique d'une Javanaise et d'un riche planteur hollandais, née à Paix du monde sur les bords du fleuve Tjiliwong, mais élevée à La Haye dans une pension princière et qui, ensuite, s'en revenait vivre parmi les fleurs et les étranges parfums de la contrée natale. Un père, officier à l'armée des Indes néerlandaises, dont elle faisait la connaissance à un bal du gouverneur, et qui l'épousait à dix-neuf ans. Des jardins merveilleux où s'écoulait sa petite enfance, à elle, Rakma, des jardins de fontaines et d'oiseaux avec de petits êtres agiles et glabres, qui étaient les serviteurs de la maison. Puis, tous ensemble quittaient le voluptueux archipel et allaient se fixer à Arnhem, dans une fastueuse villa aux terrasses s'étageant le long du Rhin. Ensuite l'histoire de cette mère malheureuse, ruinée et délaissée par l'époux déloyal qui, après de douteuses spéculations où leur fortune sombrait, allait tenter la chance au Brésil et y mourait. Elles se retiraient alors, pour y vivre obscures et dénuées, en une petite ville de silence et d'oubli, à Delft, où sa mère, très instruite, vraiment distinguée, se vouait tout entière à son éducation. Elles y passaient quatre années, après lesquelles Rakma trouvait à se placer comme institutrice dans une grande famille anglaise, à Edimbourg. Et comme elle était là-bas, la nouvelle lui arrivait de la mort de sa mère; elle restait seule désormais, le cœur éteint, désabusée de la vie, aiguisant à cette infortune maternelle imméritée sa haine et son mépris pétrés de l'homme, cause de sa destinée injurieusement opprimée. (Sur les variables fortunes qui avaient suivi son départ d'Edimbourg jusqu'au moment de son entrée chez le président, elle était demeurée imperméable.)

En somme, s'avouait Lépervié, je ne sais de sa vie que ce qu'elle a bien voulu m'en divulguer. Sans doute, chez elle comme chez moi (ah! ce père véreux me miniature mon phagédénique ancêtre!) persiste l'être double et irréductible. En quels alambics décanter, afin d'en séparer les mixtures et de préciser leurs quotités respectives, les surprenants mélanges infusés dans son sang? Quelles cornues pour précipiter les sédiments d'humanités composites qui, à doses probablement inégales, ont fini par constituer la créature merveilleusement outillée dont le nom seul (un mât qui craque en une tempête, un cri de guerre en des mêlées sauvages, un aboi concupiscent sur les margelles du puits de l'amour), suggère des musiques homicides et dévastatrices? Ah! Rakma, Rakma! les matrices des femmes de ta lignée, cratères en ébullition, à l'égal des gounougs de ton pays, à la fois roulèrent les brûlantes lies des hommes à peau jaune, à prunelles de chats, et les spermatozoïdes indolents apportés par les vaisseaux du Septentrion. Mais tes agrégats ataviques, brassés dans le chaudron des races, ah! qui les pourra débrouiller pour dégager ton indubitable essence à travers la purée des résidus à la longue recuits en toi?

Comme, rentrant un soir sur ses socques, Lépervié se débarrassait de son pardessus dans le vestibule (c'était l'hiver encore une fois), il ouït un bruit de voix qui venait par l'escalier. L'une, en le colloque, vibrait presque querelleuse, et il ne distinguait pas nettement l'autre, à cause du roulement des voitures dans la rue. Mais dans la voix plus haute, s'avérait Guy; et cette voix, l'autre aussi, subitement s'étouffaient, tandis que très vite des pas furtifs remontaient à l'étage.

«À qui en avait-il? se demanda Lépervié, étonné. Et il appela: Guy! Celui-ci ne répondait pas immédiatement et il entendait une porte que quelqu'un en haut fermait avec précaution.

—Est-ce toi, Guy? répéta-t-il en s'impatientant.

Alors Guy répondait:

—C'est moi, oui.

Ses socques jetées sur les dalles, il grimpait précipitamment et apercevait son fils qui, une bougie à la main, le visage très pâle, l'attendait sur le palier.

—Que fais-tu là? interrogea le président d'une voix basse et violente.

—Mais je t'attendais pour te dire bonsoir; et ensuite, j'allais me coucher.

Lépervié, les sourcils rigides, le scrutait d'un si térébrant regard que Guy, sous la pointe de ce regard, baissait la tête et se guindait au geste inutile d'assurer le lumignon dans le bougeoir.

—Ah! dit le père, tu allais te coucher?... Et... et...

Une peur ensuite suspendait à sa bouche une question qui, à travers une soudaine paralysie de la langue, lui gluait le palais. Et enfin, il s'extrayait ces mots:

—Et avec qui... parlais-tu?

Maintenant il ne doutait plus que ce ne fût avec Ramka; il était sûr d'avoir reconnu sa voix, sûr que c'était la porte de sa chambre qu'elle venait de fermer derrière elle; et pourtant, il ne pouvait arrêter sa question, ne pouvait empêcher que cette question lui sortît des lèvres. Le froid d'une grande pâleur lui était monté aux joues: il regardait son fils avec des yeux anxieux, il pensait: Oh! si jamais il allait mentir!

—Mais, dit Guy sans hésitation, en affermissant sur lui son œil clair, c'était avec Ramka. (Habituellement il la nommait mademoiselle.)

—Ah! (après un silence, Lépervié distrait parlait), c'était avec cette... personne?

En se certifiant ainsi la réponse de Guy, l'émotion de sa voix lui parut tout à coup si étrange qu'il crut qu'un autre avait parlé hors de lui. Mais presque aussitôt une joie perçait, la joie de cette loyale nature qui ne savait pas mentir, la joie qu'il n'eût pas été contraint de mentir; et il ne pouvait surmonter un attendrissement à le longtemps regarder, toute sa figure à présent pacifiée d'un affectueux sourire.

—Comme tu as le visage de mon père! dit-il en considérant, dans l'or vacillant de la lumière dont s'éclairait devant lui ce profil, la ressemblance du nez et du front avec le portrait paternel, une ressemblance qui le pénétrait d'une admiration respectueuse.

Puis il le serrait contre sa poitrine, le congédiait de cette parole:

—Va, mon Guy, mon cher Guy... Va, dors bien.

Et avant d'entrer chez sa femme, il s'arrêtait un instant dans son cabinet, pour demeurer seul avec lui-même, se répétant:

—Il n'a pas menti! il n'a pas menti!

Entre ses mains, comme exigé par un magnétique vouloir de ses mobiles doigts sous les clartés de la lampe, c'est d'abord, ce n'est rien d'abord qu'un confus dessin qui, dans les fibres et les pailles du papier, semble ébauché par l'impénétration des rais lumineux.

Mais un plus fixe regard, en ces linéaments indécis comme une forme de songe, commande la vision déjà plus nette d'un éveil de membres pour des corps encore mal liés. La pâleur d'un contour gravé, ainsi qu'une glyptique, ensuite sinue et s'élucide; toutefois la silhouette d'une enluminure rouge et bleue seule précise, sur ce clandestin espoir d'une ressemblance de la chair, la couronne et le globe du roi de carreau.

Enfin, enfin—(comme par une vitre brouillée sur la secrète infamie d'une chambre)—le mystère, l'occulte mystère inclus en les tarauds se dévoile et apparaît le stupre d'un enlacement résignant pour de pires voluptés l'honnête plaisir légitime. Sous la fraude des nombres et des figures, à mesure qu'il les défère à la lumière complice (à présent les diaboliques cartes entre ses mains déploient un éventail), se noue et se dénoue la vigne des mauvaises luxures grappant en des spires de jarrets et de bras, en des maillures de poitrails et de reins, en des inversions et des cabrements où se rue la démence des ruts, l'innombrable plastique des postures réprouvées.

Alors l'habituel prestige s'opère dans Lépervié: l'immonde libertinage de cette industrie sans art l'excite à l'illusion d'une réalité démentie par son mensonge même et qui, pourtant, pour la basse fermentation du vice en l'homme, n'égalerait pas (iraient-elles jusqu'au cérébral éréthisme d'un Rops!) les perversions d'un satanique artiste. À travers l'informe ébauche des attitudes, industrie de quelque stupide artisan, la nudité coupable s'avère à son sens, dénuée de toute gloire, mais d'autant plus ensorcelante qu'elle nie le Rythme et la Beauté!

Et c'est en lui, à pénétrer dans ce bestiaire de l'animale sexualité, dans cette ménagerie des plus hurlants désirs et qui, ainsi que derrière des barreaux, se cèle sous la décence d'un banal carton, c'est la lie remontée et l'éruption du feu interne comme si la vitre brouillée sur la secrète infamie d'une chambre se désobscurcissait, s'infusait de lumière, de toute la lumière qui substitue aux spectres les formes tangibles de l'humaine évidence.

Par des chaînes de chair il était lui-même, comme pour l'acte, lié au geste de ces fornications effrénées, avec un amusement de la supercherie qui, en la priapée, indéfiniment élude la fin du plaisir et le recule en de plus lointains ravalements d'obscénité.—Oh! oh! plus loin! plus bas, grognait-il, patibulaire, assoiffé de moins de réticences encore, se repaissant de la porcellaire salauderie de ces étalages, humant la sueur des ceintures et des aisselles qu'il croyait vraiment subodorer.

Le président en était là, roulait à l'érotisme des cartes transparentes.

Un fait, à quelque temps de là, signala en Lépervié le curieux état d'esprit d'un magistrat suborné par un licencieux penchant et réagissant par un blâme plus sévère contre toute transgression, même illusoire, de l'exclusive morale courante.

Oh jugeait à la correctionnelle un écrivain d'un art indéfectiblement probe, mais qu'une trop impétueuse honnêteté incitait quelquefois à peindre en de noires couleurs de colère, la turpitude sociale. Cette fois il avait imaginé un drame (tout de suite répudié par les imbéciles décences des classes bourgeoises), un sombre et terrifiant drame de misère où une femme à la fin, dans la commune détresse, se levait et offrait, par un obscur instinct de charité envers les dénués, son flanc de péché et de honte à leur faim d'affamés de tout.

L'écrit avait remué les sympathies non moins que les colères; on le défendait et on l'attaquait avec passion; et tout à coup le parquet, l'incriminant d'immoralité, le dénonçait aux juges. Lépervié nettement, malgré l'évidence de l'intention, se prononça pour la condamnation. Il n'admettait pas que la littérature, même pour un but honorable, s'ingérât en de trop absolus aveux des réalités immédiates. Encore faut-il que celles-ci s'adultèrent à la cuisson d'une sensible mixture d'idéal ou, tout au moins, s'atténuent par la discrétion du vocable. Tout le reste n'est que licence; et il insistait sur ce mot, inséparable du solennel pathos de la judicature.

Bien que l'affaire ne ressortît pas à la chambre qu'il régissait, il fut présent aux plaidoiries, déclara latéraux et inconvenants les exemples que la défense à profusion cueillait dans l'Histoire, la Bible, les Lettres, et le jugement enfin prononcé (une amende en raison des circonstances atténuantes), osa regretter celles-ci et qu'une expiation infamante n'eût pas vengé un tel outrage à l'ordre intellectuel.

C'était, d'ailleurs, dans son département judiciaire, une sévérité qui, en même temps que cet endurcissement lui rendait l'estime de soi, après l'avoir graduellement perdue, le soustrayait à toute compatissance envers le prochain. Il se montrait implacable à présent pour les libertinages que dénonçait la majorité des actions en divorce. Les audiences retentissaient de ses réquisitoires contre l'immoralité de la société. Le dédoublement professionnel, en obturant ses yeux sur ses personnels désordres, lui faisait conspuer jusqu'à la véhémence l'ordure de laquelle secrètement il se délectait. Thème fertile s'il eût pu arguer encore selon son ancienne manie; mais il ne goûtait plus même le sournois plaisir de cette piperie, en arrivait, dans une totale désagrégation, à ne subir que des mouvements irréfléchis.

Et le Mal qu'il portait en lui sans le voir, il le suspectait partout chez les autres,—le constatait matériellement comme une syphilis rongeant le genre humain, comme une hydre enroulant dans ses anneaux et broyant entre ses mâchoires l'humanité que seulement défendait encore l'égide de la justice.

Lépervié avait vu la rouge lanterne clignoter dans la raffale par dessus un bourbeux couloir; il avait poussé une porte, s'était assis à une table, dans cette taverne. Une fille s'était approchée, demandant ce qu'il voulait boire. Il avait regardé trois hommes à face saurée consommant un liquide à une table voisine; d'un geste il avait désigné cette boisson; et, au bout d'un instant la fille revenait, posait devant lui une coupe de gin. Il en absorbait une lampée; mais tout de suite le vigoureux alcool, comme un globule de mercure, lui perforait l'oesophage; il sentait une coulée de poivre s'instiller à travers son sang; ses joues s'injectèrent, picotées ainsi que par l'infiltration d'un acide; et ensuite, il n'éprouva plus, à travers une foncière dilatation de tout son être, qu'un égal et chaud bonheur.

Il vida son verre, cogna du poing la table pour en requérir un second, et à petites fois il s'ingérait les agiles aromes de cette liqueur claire comme du givre grésillant au soleil. La torride lubrifiance d'abord perçue maintenant se réfrigérait en le délice aigu d'un baume sapide et frais, stimulé d'un arrière-goût d'épices. Et il se livrait à une mnémonie active pour se rappeler où déjà il avait connu la joie de cette rare sensation.

Mais aucune date ne se dessinait, nul indice que cette date existât. Toutefois il lui paraissait évident que quelque part, en un temps quelconque, en une ère indéterminée du temps, un équivalent breuvage l'avait saturé d'une plénitude d'irrécusables jouissances (un tel breuvage certes, bien qu'il acquît, après un retour vers le passé, la conviction que jamais cette mixture pimentée n'avait étanché aucune soif de sa bouche).

Autour de lui la crasseuse taverne et ses étranges consommateurs,—(ces trois hommes velus, d'une peau corroyée que semblait oindre une couche de goudron et dont les oreilles comme des halliers s'embroussaillaient de rouges poils en bouquets, car il n'y avait là vraiment que ces trois hommes),—le considéraient, leurs durs visages nébuleux tournés vers lui, leurs visages rendus nébuleux par la fumeuse atmosphère du lieu.

Lépervié, de son côté, les regardait, mais, tandis que deux seulement conservaient des apparences immédiates et tangibles, il n'apercevait le troisième qu'à travers le recul d'un très lointain paysage de mer irritée où cet homme se mouvait sur un navire au milieu des flots. À tout instant la tempête manquait submerger le navire, et il cessait enfin de voir la colère des eaux, ne distinguait plus que la marche de l'homme en d'inconnus pays ténébreux qu'il traversait d'un même pas de las sommeil sans jamais s'alentir et qui en des brouillards se fondaient derrière son ombre.

Pour quelque dessein connu de lui seul, il arrivait du bout du monde, il surgissait de la mort des âges, ce passager des mornes latitudes. Et, toujours usant en des chemins et des chemins la plante de ses pieds, il entrait en cette ville, poussait la porte de *cette* taverne, s'asseyait à la table occupée par les autres hommes. Pendant des périodes immémorables il avait navigué par l'horreur des mers, incédé par la désolation des pays, sans trêve marché pour arriver à la rencontre de Lépervié, dans ce bouge d'un grand port marchand où lui-même, vers la même heure, échouait.

Et pour le président, c'était à présent l'évidence d'un rendez-vous qu'aucune force humaine n'aurait pu lui faire éluder et vers lequel, à travers le temps et l'espace, des pôles opposés chacun était venu, chacun d'eux, commis à un impérieux destin, s'était mis en marche pour venir.

Un plus grand silence s'immobilisa sous les noires solives dans la trépidante lumière du gaz brûlant en des globes, quand l'homme, ni soudain ni lentement (tant tous ses mouvement semblaient l'un à l'autre soudés), quitta son escabeau, fit les six pas qui le séparaient de Lépervié et, avec un regard bienveillant, après s'être assis à ses côtés sur le banc, lui désigna d'un geste son verre qu'il achevait de vider.

—Non, merci, j'en ai assez, déclina à haute voix le président, en réponse à l'indubitable sens de la main tendue vers son verre.

Tout aussitôt il crut remarquer que les marins, restés à leur place, le menton dans les poings, le dévisageaient d'un air courroucé.

—C'est une erreur, insinua la voix mielleuse de l'inconnu, ce gin est excellent. Il en coulerait de pleines barriques dans les veines qu'on ne pourrait dire qu'on en a bu assez. *De mon temps*, je n'aurais pas reculé devant un lac de ce gin, un lac où des navires pontés auraient à l'aise naufragé.

Cette gasconnade amusa le président. Maintenant il s'efforçait, en le scrutant, de recouvrer le souvenir d'une ressemblance effacée, mais certaine; seulement il lui semblait que leur connaissance remontait à un autre âge, à l'âge de ce même homme parlant de son temps.

—En effet, confessa-t-il, ce gin est un riche stimulant pour l'organisme.

Il n'avait pas conscience d'un signe par lequel il eût appelé la fille; pourtant elle accourait installer sur la table deux verres qu'ensuite ils choquaient.

—J'étais sûr, dit au bout d'un instant le bizarre compagnon, que le goût vous en viendrait. Cela me paraissait inévitable. Oui, il me paraissait qu'il en devait être ainsi. Je n'ai même fait ce long voyage que pour m'assurer qu'il en était comme j'avais pensé. Encore un verre. Croyez-moi, cela ne peut que nous être agréable.

—Oui, encore un verre de ce gin délicieux, fit Lépervié. Mais ne vous ai-je pas vu quelque part?

—Quelque part, oui. N'est-ce pas, Gummy, que c'était quelque part?

Le marin invoqué acquiesça, l'autre marin agita la tête aussi; et leurs barbes safran ensuite se rapprochaient, s'ouvraient dans un sourire de jaunes chicots sous des lèvres corrodées de scorbut. Lépervié sentait couler à ses mains, à travers de rauques *goddem* et des rires en hiements de poulies, la brûlure de leurs haleines torréfiées d'alcool. C'étaient, après tout (il n'en douta plus quand ils se furent accoudés à sa table sans façon) de bons drilles, d'honnêtes et jovials loups de mer au tact un peu rude, aux rouges paupières mangées de sels et clignotantes comme des yeux de phares dans les embruns,—oui, de ces hommes qui vous serrent à les broyer les phalanges et avec qui on a plaisir à vider un verre.

—Du gin! commanda Lépervié, en enflant sa voix pour dominer leurs graillonnements sonores que, au loin, dans le grand port tourmenteux, les mâts grinçants, le gémissement des amarres, l'aboi des vents hurleurs (du gin par ce temps de chien, n'est-ce pas boire l'héroïsme?) que toutes ces clameurs des eaux et de la nuit appariaient à des appels exténués en des naufrages. Encore du gin, répéta-t-il en obligeant la fille à se lever coup sur coup pour les servir, mais oui encore. Ah! des ruisseaux! des ruisseaux! Car c'est comme si passait dans du soleil l'orgueil des navires pavoisés, navires, vires, vires, ah! navires immenses avec des musiques. Du gin, la fille, hé! Et que personne ne m'appelle ici président!

—Non, cela positivement, il ne le veut pas, fit l'homme, assis près de lui sur le banc.

Il survenait un moment ensuite où Lépervié voyait rapidement tourner autour du point clair des globes le comptoir et ses étains, les escabeaux, le plafond, les trois visages, ah! ricaneurs à présent; et lui-même, dans ce cercle, vironnait comme une toupie, la tête en bas, les pieds aux solives du plafond.

Mais ce nauséeux giroiement s'arrêtait; un définitif hiver glaçait en lui le cours du sang; d'un lourd caillot s'obturait l'aorte; il était expiré. Et le banc se repliait, en les quatre ais d'une bière hermétiquement se repliait, scellait sur la décomposition de son corps la fermeture d'un décoratif et pompeux cercueil.

...Mais où suis-je? Quels événements m'ont réduit à coucher dans cet horrible lieu? se demanda Lépervié, moulu, en considérant autour de lui le meuble indigent, trois chaises de paille, une table et son pot à l'eau sur une toile cirée, le lit où maintenant, sous la pluvieuse lumière triste d'une fenêtre aux rideaux divergents, le sens le réintégrait.

Il regarda sa montre; elle marquait cinq heures. Ah! fit-il en allant à la fenêtre et soulevant l'algérienne effrangée, c'est déjà le matin! Alors son étonnement redoubla.

«Est-ce que je rêve? (Et il frottait ses yeux lourds de nuit encore et d'antérieures visions.) C'est bien là pourtant un quai maritime. Oui, voilà bien des mâts de vaisseaux, une fumée de steamers chauffant pour un départ, les eaux d'un fleuve; et tous ces hommes vont et viennent sous des faix, avec un rythme prudent, comme s'ils emportaient des trésors.»

Il lui semblait les avoir aperçus déjà ou tout au moins des êtres similaires. Oui, des faces en cuir tanné crevant des barbes de soleil... Des globes lumineux tournaient... Une chambre basse et fumeuse où des gens riaient... Il ne se rappelait rien au delà. Ses bottines étaient au pied du lit; il constata qu'il avait dormi dans ses habits; et c'était encore cette question torturante:

—Comment suis-je ici?

Puis la porte s'ouvrait doucement, une fille entrait et lui disait en riant:

—Allons, c'est bon, puisque vous voilà éveillé.

Il l'avait déjà vue, cette fille, et cependant il n'aurait pu préciser où.

—Ah! c'est de dormir que vous devez être fatigué, ajouta-t-elle. Depuis la nuit d'avant-hier, il s'est passé presque deux jours.

—Mais quelle heure est-il? interrogea Lépervié, anxieux.

—Neuf heures du matin.

En la questionnant, il apprit qu'il était arrivé le soir, qu'il avait passé la nuit à boire avec des marins dans la taverne, qu'il avait fallu le porter coucher, qu'il ne s'était pas réveillé pendant toute la journée du lendemain.

Aussitôt une pensée surgit en lui, accablante:

—Ma femme! mes enfants!

Mais des lieues l'en séparaient; peut-être la maison en deuil pleurait sa mort. Ensuite il réglait précipitamment la dépense (c'était pour un peu plus de vingt-huit francs qu'*ils* avaient bu ensemble), fuyait l'épouvantable odeur d'alcool qui régnait en ce logis et lui chavirait le cœur, marchait le long des quais, au bord des eaux.

—Maintenant, je sais... je sais...

En effet, un fracas de roues l'emportait; il avait pris l'express de l'après-midi pour une visite à son vieux copain Desrousseaux, récemment promu à une présidence judiciaire. Ils avaient dîné ensemble, dîné ensemble (se répétait-il, tâchant à relier à ce dîner d'amis une séquence d'événements). Mais dès ce moment, l'obscurité se stratifiait; il ne savait pas comment il était entré dans cette taverne; il ne savait pas pourquoi il était entré dans cette taverne; et seulement des globes qui se mettaient à giroyer,—des faces pouacres de marins,—un atroce breuvage lui instillant du grésil pilé et de combustibles piments dans l'estomac...

Chez lui, on croyait à une disparition mystérieuse. M^me^ Lépervié, atterrée, avait télégraphié à Desrousseaux, la veille, à la tombée du soir. Jusqu'à cette minute, un espoir l'avait soutenue: peut-être cet ami l'attardait; ils visitaient les installations du port; un pilote les embarquait pour une courte excursion. Mais, sans nouvelles, tout-à-coup une angoisse horrible la jetait dans un fauteuil, secouée de sanglots. Ensuite elle se précipitait à travers l'escalier au-devant du télégramme de Desrousseaux qui ne lui apprenait rien, puis demeurait comme expirée aux mains de Rakma et de ses enfants. Et seulement, la nuit tombée, au roulement d'une voiture stoppant devant la porte, elle sortait de son long évanouissement, se dressait en sursaut, criait:

—C'est lui!

Il sonnait, montait l'escalier, la recevait dans ses bras. Paule se jetait sur lui en pleurant; Guy, très pâle, mordant ses lèvres pour se contraindre, serrait avec force une de ses mains; Rakma, un peu en arrière, les sourcils barrés, froidement le regardait. Et tout d'abord il ne trouvait rien à dire, demeurait sous leurs caresses comme inconscient, avec un visage et des gestes de somniaque.

—Nous t'avions cru perdu, disait sa femme à travers l'irroration des larmes, sans pouvoir se détacher de lui. Ah! quels moments atroces! J'ai pensé en mourir. Et n'en suis-je pas morte réellement? Je ne revis que depuis un instant... Le bruit de cette voiture m'a ramenée du fond de la mort... Je l'aurais entendue, même couchée dans mon cercueil! Et c'est toi, c'est bien toi, mon doux, mon cher ami! C'est toi que j'embrasse et qui nous reviens!

—Mais oui! fit-il enfin. Est-il possible que tu t'alarmes pour une si courte absence? Je t'assure qu'il ne m'est rien arrivé de bien grave.

Et il racontait une histoire laborieuse, un étourdissement qui l'avait pris en flânant sur les quais, et que, pour ne pas les inquiéter, il leur avait caché.

—Ah! s'écria Lydie, mon cœur me disait bien qu'il était survenu quelque chose. Mais, pauvre ami, pourquoi, si tu craignais pour nous, n'en avoir pas informé au moins Desrousseaux?

Il perdit un peu de son assurance.

—Desrousseaux... C'est vrai, oui, j'aurais pu...

—Dû! interrompit sèchement Rakma.

—Mais assieds-toi donc, insistait M^me^ Lépervié (oh! cette fille et sa voix! disait un mouvement en elle). C'est vrai, aussi, nous sommes là à te garder debout, à n'écouter que notre égoïste joie de te retrouver... Et Dieu sait si tu dois être las! Peut-être souffrant encore?

Elle ne *voulait* pas apercevoir le désordre de ses vêtements. Mais tout à coup Paule s'exclamait:

—Oh! pauvre papa! comme te voilà fait! Es-tu tombé?

—Tombé! moi? (Et il cherchait en son souvenir, tâchait de se rappeler si vraiment il n'avait pas fait une chute.) Ah! Je ne sais pas... Non, je ne pourrais dire... Tu comprends, ça m'a pris, je suis peut-être tombé, comme tu dis.

Guy à son tour s'approchait:

—C'est très drôle... Quand tu es entré, j'ai senti une odeur... On dirait de l'alcool... Et maintenant, encore, tiens, je la sens plus fortement, cette odeur.

Un tremblement vint aux lèvres du président. Il coula un regard suppliant vers son fils.

—De l'alcool... Mais non... Oh! ne dis pas cela!

M^me^ Lépervié rapidement porta ses mains à son cœur, et tout de suite après, souriante sous la pâleur d'une horrible souffrance:

—Quelle plaisanterie! Mais ne vois-tu pas que ces enfants veulent s'amuser de nous? Allons, il se fait tard: tu as besoin de repos. Tous ces bavardages ne peuvent que te fatiguer un peu plus. Embrassez votre père, mes chéris, et laissez-nous.

La chambre enfin retournait au silence. De ses maternelles mains de vieille amie, elle l'aidait à se dévêtir, lui disait avec son grand sourire de pardon et d'amour:

—Laisse-toi faire... N'es-tu pas mon grand enfant?

Lépervié se contraignit à ne plus repenser à ce soir équivoque. Avec un désespéré effort de volonté, il en repoussait le souvenir chaque fois que l'obsession, sous la forme d'un inconnu l'immergeant en un liquide brûlant (il ne s'expliquait pas, d'ailleurs, l'invraisemblance de cette hantise) l'astreignait à régresser vers cette date. Quelque chose évidemment s'était passé qu'il ne voulait pas savoir; il en gardait uniquement la sensation comme d'une absence hors de sa propre personne. Cela très lointain, très confus, comme suggéré du recul des temps, avec un écœurement amer pour une odeur qui s'opiniâtrait,—ces perforants aromes du grain distillé.

Il se jura de ne plus boire aucune liqueur; même le vin à table pendant un temps lui répugna. Et une parole de son père (—ah! elle le transperçait aiguë et lucide comme une épée de cristal)—et qu'il ne comprenait pas autrefois, un avertissement, mais tardif pour ses sourdes oreilles! se remémorait à lui:

—Ne bois jamais qu'à ta soif, mon fils; et si tu la sens trop grande en toi, interromps-toi de boire, de peur que le plaisir que tu éprouveras à l'étancher ne dégénère en un pire, et qui soit la mort!

Son enfant! son grand enfant!

C'était bien comme une maternité, une maternité amoureuse qui, dans l'épouse irréprochable, se levait pour le malade et le lui faisait soigner avec une passion de mère veillant sur une débile créature née d'elle, aussi avec un courage de femme luttant pour ramener en ses voies l'homme égaré. Avec des mains de sœurs de charité, très pitoyables, très miséricordieuses pour l'infection de ses misérables plaies (de ces blanches et bonnes mains qui remuent de la lumière sur les lits des moribonds), elle touchait, s'efforçait d'arriver, en sa chair morte de péché, la petite portion encore secourable et que le mal n'avait pas pourrie.

Mais ce mal, surtout elle évitait de le lui révéler, trouvait, afin qu'il ne se sentît point incurable, un mensonge de tendres paroles qu'elle étendait sur lui comme la pudeur de sa déchéance. Démenti par le regard qu'il jetait au miroir, il conservait auprès d'elle l'illusion de n'avoir pas vieilli, l'illusion encore d'être resté, aux yeux de l'ancienne amie, le Lépervié sans reproches qu'elle adulait de son immuable amour.

—Ah! se disait-il en de rares jours lucides au milieu de ses obscurcissements, c'est là le refuge... Quel réconfort souverain, quels dictames émanent pour le pécheur des mansuétudes d'une indéfectible compagne!

J'oublie auprès d'elle jusqu'à la conscience de ne plus la mériter. (Et cependant il se reconnaissait sans force, sitôt qu'il pensait à se rédimer par une exemplaire vie d'où la tentatrice eût été bannie!)

Un soir, après une scène cruelle avec Rakma où elle l'avait accablé d'outrageants mépris, il ressentait si vivement le contraste de cette âme lumineuse avec les scories et les laves de la volcanique fille que, monté auprès de Lydie en proie à une violente émotion, il la prenait dans ses bras et se mettait à pleurer sur son épaule.

—Toi seule es bonne! toi seule sais aimer! Il n'y a pas un être humain qui soit digne de baiser la poussière où s'imprime ton pied... Comme je me trouve infirme et mauvais à côté de toi!

Elle lui souriait.

—Quelle folie, mon ami! Je n'ai d'autre vertu que de t'aimer, d'être dans ta vie comme la servante de ta vie. Ma vie, c'est encore la tienne, ce n'est même que la tienne. Et si je vaux un peu, n'est-ce pas par toi uniquement, par toi, mon héros, mon beau et constant héros?

—Tais-toi! (il l'interrompait), ah! tais-toi! Je ne puis entendre sans remords de telles paroles! Elles sont pour moi comme une amère ironie, comme le juste et amer reproche de mes fautes envers celle qui n'en commit pas une. Ah! si tu savais quel mépris...

Mais elle lui scellait la main sur la bouche pour y river le secret qui peut-être allait en échapper et qui, révélé, annulerait la sublime imposture de ses volontaires ignorances.

—Non, s'écria-t-elle presque avec emportement, je ne veux rien savoir. T'accablerais-tu des pires torts, je ne te croirais pas! Je ne crois qu'à mon cœur qui t'absoudrait, même coupable. Et peux-tu l'être pour ma vieille, pour mon aveugle foi?

«Et puis... et puis, ajoutait-elle, reprise à son sourire, si vraiment il y avait quelque chose, est-ce que ces larmes de tes yeux (elle les étanchait du bout de ses doigts) ne seraient pas là pour l'effacer?

—Ah! (en la conduisant à sa chaise-longue et en s'asseyant auprès d'elle sur un tabouret) ah! dit-il en secouant tristement la tête, j'ai bien changé de toutes les manières, ma pauvre amie.

—Mais comment peux-tu dire cela puisque j'ai pour te voir toujours les mêmes yeux, les yeux où tu es resté l'homme qu'aima la jeune fille en moi? Et—fit-elle au bout d'un instant qui dura juste le temps qu'il fallut à son sourire pour s'étendre d'un coin de sa bouche à l'autre—et au moins en cela qui n'a jamais varié, ta bonne vieille femme n'est-elle pas encore cette toujours même jeune fille?

—N'essaie pas de me le cacher. Je le sens à mes forces qui déclinent, à ma tête qui n'est plus la même: je m'en vais, je suis fini, affreusement fini. Et tiens, regarde donc ma pauvre figure, plus rien qu'une grimace...

Elle passa légèrement la main sur ses paupières, une tendre et soyeuse caresse de lumière sur le feu de ses paupières; et retrouvant, elle la chaste! une câlinerie presque voluptueuse à tout à coup amener sous les siens le clair rire de ses yeux:

—Mais regardes-y donc. Mire-toi en ces prunelles qui ne mentent pas. Tu t'y verras tel que je veux que tu sois, entends-tu? toujours jeune, toujours beau, ô toi dont aucun pour moi n'égala la beauté, ô toi resté le plus jeune et le plus beau!

Il demeura un instant sans paroles, n'osant presque plus descendre au fond des limpidités de ce merveilleux lac de toute candeur et de toute bonté, comme s'il redoutait d'y lire la honte de son mauvais visage. Et ensuite, il détournait son regard, disait avec une humble douleur:

—Ah! si je pouvais te croire encore! Mais j'en ai perdu le droit. Non, vois-tu, à présent je ne suis plus cet homme, je sens bien que c'en est fait de cet homme! (Est-ce que tu n'aperçois pas quelqu'un derrière moi?)

Il éprouvait un aigu fouettement à s'accabler devant elle, à exhiber les cicatrices et les injures de sa ruine, comme une bête qui, blessée, piétinerait sur ses propres intestins. Au contraire, avec Rakma, c'était la piaffe et l'ostentation d'une énergie révolue, un opiniâtre besoin de se piéter sur la litière de sa décrépitude. Il se fût relâché vraisemblablement (il mûrissait pour les incontinences dernières) jusqu'à dégorger le vomissement de sa dépravation. Mais devant le geste dont elle éludait toute confidence, il retombait à son apathie, pensait:—Elle a raison, mieux vaut lui cacher ce qui, une fois connu, deviendrait bien plus irréparable encore.

Elle le rafraîchissait, dans ces moments, de si sédatives impulsions qu'elle en inféra une guérison prochaine. Mais au bout d'un peu de temps le leurre s'irrécusa; de nouveau, il la délaissait, se désheurait au dehors, imaginait de cauteleux prétextes pour pallier ses désarrois. Elle sentit qu'il lui échappait encore une fois.

Elle ne résignait pas pourtant son tenace espoir. Avec un courage rigide elle recommençait l'œuvre du salut, lui persuadait de s'estimer à travers les mensonges de sa dévotion, le flattait de la promesse d'un renouveau de leur vie en cette maturité de l'âge qui leur incombait à tous deux.

Une douleur bientôt accroissait toutes les autres pour ce grand cœur intrépide. Un jour que, devant ses enfants, elle s'exaltait à leur vanter les mérites paternels, Guy brusquement eut un haussement d'épaules et quitta la chambre en lui reprochant son aveuglement. Elle comprit que le fils jugeait le père. Ce fut une épreuve terrible, si terrible qu'elle faillit perdre la force de dissimuler plus longtemps. Mais tout de suite elle se révolta contre sa faiblesse. «C'est maintenant, pensait-elle, qu'il faut surtout l'aimer et le défendre, puisque le moment est venu où il pourrait en ses propres enfants trouver des juges incléments.»

Et elle les gardait auprès d'elle, dans la chaleur de sa tendresse, leur reparlait de leur père, à l'infini variait ce thème:

—Votre père! mes chéris, moi seule en puis parler, car moi seule sais à quel point il est toujours resté l'homme de mon rêve. Et puis, un père, n'est-ce pas comme l'image du bon Dieu? Allez, si même un jour vous le surpreniez en faute (mais cela se peut-il et la faute ne serait-elle pas plutôt en vos yeux mal clairvoyants?), il faudrait les fermer, ces yeux, il faudrait en éteindre la lumière, comme de pernicieuses lanternes sujettes à vous égarer par les fondrières des mauvaises pensées. Un père est un autel, mes enfants; il peut s'obscurcir de nuages; mais il demeure l'autel.

Toute seule dans sa chambre, ensuite elle exhumait des tiroirs les vieux cultes des temps de l'amour, des rubans, des fleurs, des lettres, les lointaines reliques poudreuses et empreintes d'une odeur des temps de l'amour, d'une odeur animée et qui ressuscite la pulsation d'un cœur sous la piété des mains; et elle les baisait, en aspirait la fine senteur expirée, revivant à travers cette mort du parfum les retours au bonheur, sentant s'agiter en cette mort des pauvres symboles tout un vernal éveil de frissons, d'espoirs et de sourires.

—Ah! les profonds cimetières que nos tiroirs! pensait-elle. Et tout cela, c'est comme de petites croix sous lesquelles s'éternise, enseveli, un peu de nous! Morceau à morceau notre cœur s'émiette en ces choses mortes, en ces cercueils des choses mortes, jusqu'à ce que de nous il ne reste plus rien que cela, du passé et un si léger parfum qu'il n'est plus lui-même que le souvenir du parfum. Et j'en suis venue là, je ne vis plus que la vie en arrière, la vie de mes pauvres fleurs fanées et de mes pauvres croix vermoulues!

Avec les jours, à force de laisser couler ses pleurs, il lui venait sur les joues, rongées de leurs acides, un voile à travers lequel les aspects se brouillaient, ce rideau des larmes comme l'appelle si douloureusement le peuple, qui se connaît en larmes, et leur a conféré le plus suggestif nom que pouvait inventer l'éploration des indestructibles souffrances. Quelquefois Lépervié s'en apercevait, et voyant ses lasses et turgides paupières (mais aveugle aux peines qui étaient le réservoir de ses larmes), il s'impatientait:

—Vraiment, ma chère, cela devient intolérable. Oh! ne dis pas que tu n'as pas pleuré! Tiens, tes yeux sont tout humides encore. Tu finiras par en perdre la santé!

—Mais non, tu te trompes, se défendait-elle, ce n'est rien, un peu de faiblesse, une légère irritation de l'œil... Et pourquoi, bon Dieu, voudrais-tu que je pleure? Je n'ai pas de motif de chagrin. Ne me rends-tu pas heureuse? Je ne veux pas que tu puisses douter du bonheur que tu me donnes.

Une autre fois, comme il l'avait surprise effaçant à la hâte à ses joues pâlies la brûlure de pleurs récents, elle se laissait aller à dire mélancoliquement:

—Laisse donc, c'est bon, les larmes! L'âme s'isole derrière le brouillard qu'elles mettent aux yeux. On ne voit plus à travers que des choses lointaines, des choses qui ont la douceur d'un évanouissement... Ah! et encore ceci: on ne voit plus que les choses qu'on veut voir.

Deux fois déjà, Lépervié repassait par le même trottoir, regardait le petit café tranquille aux stores baissés. Rien qu'une fois, pensait-il; entrer et puis sortir. Oh! uniquement cela!

La rue morne, en un silence de faubourg, s'estompait d'un grésillement de pluie fine, dans la nébuleuse clarté triste des réverbères. Et il se sentait lui-même, comme la rue, morne et vide, avec les filtrations de cette atmosphère humide lui bruinant dans le cerveau.

Il fit un détour, longea une rue plus bruyante; mais, un angle qu'il tourna le ramenait ensuite sous les réverbères de cette voirie délaissée, et cette fois, il s'arrêtait devant l'humble débit, regardait à l'intérieur par-dessous l'un des stores.—«Rien qu'entrer et sortir. Il n'y a là que d'honnêtes gens. Personne ne me reconnaîtrait.»

Un coude le frôla; il remarqua un vieil homme arrêté près de lui et qui regardait aussi la bonne lumière persuasive du café. Cette présence le gênant, il se remit à marcher mais lentement, pour se laisser distancer par l'homme. En effet, celui-ci le dépassait, un calamiteux ouvrier traînant ses ans exténués, les mains dans les poches, l'épaule déformée par un immuable servage. C'eût été pour lui le bonheur d'entrer là! pensa le président en considérant l'air débile et misérable de ce débris humain.

Mais tout à coup le vieux s'attardait devant un maigre crépitement de gaz éclairant, derrière la bueuse étamure d'une vitrine, un zinc de liquoriste; et comme un instant après, Lépervié lui-même venait à passer dans cette zone de lumière, il vit se tourner vers lui, avec des yeux découragés, le visage blet et bouffi du maupiteux. Il fit encore quelques pas; mais la muette supplication de ces yeux le poursuivait.—«Sans doute, une honte, malgré ses haillons, l'empêchait seule de me soutirer les quelques sous qui lui auraient procuré, dans sa détresse, une enviable minute d'oubli.

Il se retourna; le pâtira stagnait toujours à la même place, pompant du regard les baumes inclus aux bonbonnes et que sa misère lui refusait.—Mais c'est le supplice de Tantale, pensa Lépervié. Il rebroussa chemin, cueillit dans sa poche une poignée de menuaille, en emplit cette main qui presque aussitôt après manœuvrait le bec de cane de la porte.—«À peine si, dans son saisissement, il a pris le temps de me remercier. Je dois être pour lui comme l'image indubitable de la Providence.»

Ensuite, tandis qu'il regardait l'homme se précipiter dans le gosier, coup sur coup, deux verres d'un liquide incolore, il se sentait mordre d'une envie pour le bonheur que sans remords versait à cette brute le poison si furieusement ingéré.—Le supplice est à présent pour moi, se dit-il. Avec l'argent que j'ai là, je pourrais me procurer dix fois plus de joie que ne lui en ont octroyée mes quelque sous. Il remonta le trottoir, un instant encore piétina devant les fenêtres du petit débit, et la filée de gaz, à travers les stores, comme le clignement d'un œil, l'aguichait, lui conseillait d'entrer.

—Il ne tiendrait qu'à moi, se dit Lépervié, en s'écartant une dernière fois. Mais quelle chose pourrait me contraindre à pénétrer en ce lieu malgré ma volonté?

Il ne s'apercevait pas que sa main maintenant poussait la porte, qu'il intégrait véritablement cette maison, pendant que son esprit, par un frauduleux argument, l'atermoyait encore sur le seuil. Et tout à coup, il se trouvait assis entre les deux fenêtres, assis devant une table sur laquelle cognait du poing, dans le somnolent silence d'une tablée de buveurs réunis plus loin. Alors seulement, au bruit de son poing heurtant le chêne, il avait conscience d'être entré, mais sans pouvoir s'attester quels actes préliminaires l'avaient orienté vers cette définitive ingression.

—Vous savez, c'est du genièvre que je voudrais, dit-il d'une voix humblement polie à la servante.

À une heure incertaine de la nuit, il rentrait, les habits et le visage dévastés. En trébuchant, il montait l'escalier, dépassait le palier sur lequel s'ouvrait sa chambre, allait heurter à la porte de Rakma. Et M^me^ Lépervié, qui tout ce mortel soir avait veillé à l'attendre sans pouvoir trouver le sommeil, l'entendait supplier par la serrure de cette porte obstinément fermée:

—Mais ouvre-moi donc, c'est moi!

Alors elle se laissait tomber de son lit, avec cette pensée: «Le malheureux! Il oublie que ses enfants pourraient se réveiller!» Les pieds nus, sa lampe à la main, elle s'avançait jusqu'au palier, l'appelait en étouffant sa voix dans ce grand silence somnial de la maison, assumait la force de lui dire avec douceur:

—Mais où vas-tu donc, mon ami? Tu te trompes d'étage... Ce n'est pas là que je suis.

Et ensuite elle le voyait redescendre; la lumière tombait sur ses vêtements boueux et le geste mou de ses mains palpant le vide; elle lui prenait le bras et l'aidait à pénétrer dans la chambre.

—Ah! proféra-t-il, le regard éteint sous de flasques paupières, c'est toi?

—Oui, c'est moi, ta femme.

—Tu sais, fit-il en échouant dans un fauteuil, non, pas de reproches... pas de larmes non plus... Ça m'embête!

Elle restait un moment la bouche grande ouverte, une main sur son cœur, sans souffle, croyant vraiment qu'elle mourait, se raccrochant à toute sa volonté pour ne pas rouler sur le tapis. Et enfin, la crise passait, elle retrouvait la parole:

—Des larmes! mais je les ai toutes pleurées, mes larmes! Mes yeux sont taris, je n'en ai plus.

—Non, répétait-il avec l'entêtement de l'imbriaque, pas de larmes... N'en faut pas, de larmes...

(Et ce veule battement de la main par l'air, l'oscillation subséquente du corps entier du côté où la main s'est mue.)

Devant l'indigne époux ravalé à l'abjection de l'homme actuel, ses pudeurs outragées alors lui montaient au visage; elle se prenait le front à deux mains, ne pouvait réprimer un cri où se pleurait l'immense humiliation du naufrage:

—Et j'ai pu l'aimer!

Comme si, à ce cri de détresse, du fond de sa vie martyrisée surgissaient, avec des visages et des voix de colère, les anciennes rancunes refoulées et pour tant d'opprobres pardonnés i'irrésignation d'un final dégoût, soudainement la charitable et la toute pleine de miséricorde qu'elle était se retournait contre le nocturne visage de stupeur qui vacillait devant elle, et le fouettant de ses lys de candeur et de pureté mués en furieuses et mordantes orties, elle s'emportait à lui dire:

—Misérable! Je vous pardonnais tout, hors cette chose pire que la faute, c'est de m'ôter le courage de mentir pour la dissimuler, cette faute, à présent que jusqu'à la ruse et l'hypocrisie vous manquent à la cacher vous-même. Ah! tenez, il fallait cela pour vous le dire... Oui, cela, cela, oh! dans la maison de votre femme et de vos enfants, ces boues de la rue que vous traînez après vous... Oh! perdre la raison jusqu'à monter ouvertement chez cette fille. Oh! n'être plus que la chose que mène l'instinct, n'être plus que l'homme que voilà, empoisonnant jusqu'à l'air de la maison! Eh! bien, je savais tout... Je vous défendais contre vous-même... J'espérais... quoi? je l'ignore, une grâce du ciel, une clarté en vos ténèbres, un retour à la bonne conscience... Oui, à force de prier pour le pécheur, une intercession des Miséricordes... Et j'avais éteint sous les larmes mes yeux afin que vous n'y aperceviez pas la laideur de votre honte; je m'étais faite aveugle, moi qui avais tout vu, pour vous épargner la douleur d'avoir à trop rougir de ma clairvoyance!... Écoutez... écoutez... Je voulais, à force de douceur et de pardon, vous reprendre, je croyais cette chose possible, oui, mourir avec mon secret plutôt que d'en laisser seulement percer le soupçon dans mes yeux. Mais regardez-les donc, mes yeux; à force de pleurer, ils ne voient plus, ils ont le voile, mais un voile avec des déchirures par lesquelles je continuais à voir justement ce que je n'aurais plus voulu voir, un voile qui n'était que pour mes yeux et que je ne pouvais pas tirer jusque sur les yeux de nos enfants! Ah! le rêve! le rêve! La femme qui m'arrachait le cœur de la poitrine! La femme qui cachait sa tête dans un drap!... Et puis, une fois, le drap tombait, elle revenait me torturer, j'aperçevais ses yeux; ils continuaient à me regarder, ces yeux, à travers le regard de la concubine, de la perverse et cruelle créature que j'aurais dû chasser et que, par lâcheté pour vous, je ne chassais pas. Oui, le rêve devenait le réel; je le revivais dans ma vie de chaque jour, de chaque instant. Et par lâcheté, je vous dis, ô femme trop faible, ô malheureuse et faible femme!

—En voilà assez, dit Lépervié, ces scènes me fatiguent... Je quitterai la maison.

—Eh bien! quittez-la, homme sans honneur et plus endurci qu'un roc. Quittez-la, laissez-nous pleurer celui qui était bon, généreux, respecté et qui ne l'est plus. Allez avec elle cacher votre honte si loin que nous ne sachions plus si vous existez.

—Mais te tairas-tu, vieille pie! s'écriait tout à coup le président, en se mettant debout et en levant la main.

—Frappe, dit-elle, mais sache au moins sur quelle tête tomberont tes coups!

Et elle se mettait à genoux, très vite déroulait ses cheveux qu'elle avait gardés longs et qui s'épanchèrent autour d'elle, finissant par l'envelopper comme un manteau.

—Tiens, regarde-les, ces cheveux qui faisaient ma gloire et qui, sous les baisers, comme une fleur de sang vivace, ne voulaient pas blanchir... Ah! mes pauvres cheveux! Regarde-les à présent: la vie s'en est retirée... Ils ont pris la couleur de mon désespoir... L'hiver a neigé dessus: on n'aurait qu'à m'y ensevelir comme dans un suaire dont ils ont déjà la blancheur. (Et à poignées elles les ramassait, les lui tendait, avec leurs épaisseurs de touffes mortes qu'elle ouvrait en éventail et qu'ensuite, toujours à genoux, elle ramenait devant son visage, lui disant): Et maintenant frappe: je ne verrai pas ta main au travers.

—Mais, fit Lépervié, c'est de la folie. Je ne veux pas te battre. Je n'ai envie que de dormir.

Il allongea les jambes, un instant s'agita dans un geste accablé, renversa la tête; et un lourd ronflement seul persista sur cette forme évanouie.

—Plus rien! murmura M$^{me}$ Lépervié, en se tordant les mains. Il n'y a plus rien pour nous dans ce cœur! Ah! mon Dieu! Mais qu'ai-je fait pour mériter une telle expiation? Plus rien! Ah! fini!

Elle défaillait. Elle se traîna jusqu'à son lit, tomba en travers des draps, sur cette croix de son lit méprisé et qu'elle inondait du flot épars de ses cheveux, avec le roulement inerte de sa tête en ce linceul de sa chevelure, comme d'une suppliciée.

Mais bientôt ses genoux fléchissaient; elle roulait de tout le poids de sa chair à son âme, si déliée, s'abattait sur le tapis aux pieds de Lépervié. Et quand enfin la connaissance lui revenait, elle restait un instant à se souvenir, puis allait prendre une des couvertures du lit et l'étendait sur le sommeil de cette pauvre raison sombrée, maternelle encore dans cette détresse de son vieil amour.

—Ah! dit-elle, c'était peut-être ma faute: j'aurais dû l'aimer autrement que je ne l'ai aimé!

Lépervié se réveillait au matin dans le fauteuil; près de la fenêtre, dans le jour pluvieux des vitres, sa femme se penchait sur une broderie.

—Comment se fait-il que je ne sois pas dans mon lit? pensa-t-il d'abord. C'est bien moi pourtant et j'ai gardé mes habits. Me serait-il arrivé de nouveau quelque chose?

Il ne se rappelait rien et n'osait l'interroger; mais une subite douleur cervicale, comme un coup de fouet électrique à ce reste de sommeil qui l'engourdissait, lui attirait les mains vers le front. Les nocturnes ombres se déchirèrent.

—Mais c'est affreux, s'écria-t-il avec un immense désespoir. Je me suis encore une fois grisé.

M^me^ Lépervié déposa sa broderie et vint à lui:

—Mon ami, vous êtes rentré souffrant...

J'ai voulu vous garder près de moi... Il n'y a pas autre chose.

—Oh! non! non! s'accablait-il. Tu ne me dirais pas vous! Je suis rentré... Tu étais là à mes genoux... Et puis, je ne sais plus. Quelque chose s'est passé, que je ne sais plus... que je ne sais plus.

Un doigt faiblement cogna à la porte.

—Maman, c'est moi... Puis-je entrer voir papa? souffla Paule à travers la serrure.

Lépervié aussitôt supplia:

—Non, pas maintenant...

Elle se dirigea vers cet appel des petites mains,—(Oui, pensait-elle, il faut lui épargner cette honte), et étouffant la voix comme, si réellement elle craignait de troubler son sommeil:

—Tout à l'heure, ma chérie... Ton père repose encore... Mais il va beaucoup mieux, je t'assure.

Il écouta se perdre son pas léger dans l'escalier, puis, avec hésitation, en évitant de la regarder:

—Ils étaient déjà venus?

—Oui, ils étaient venus... Mais j'avais fermé la porte à clef, je ne leur ai pas permis d'entrer.

Et plus bas, très doucement, comme un doigt charitable oint de baume, au réveil d'un blessé, le mal d'une plaie:

—*Personne*, d'ailleurs, dans la maison ne t'avait entendu rentrer.

—Oh! dit-il en se cachant la tête dans les mains, je te comprends, cœur magnanime... Mes pauvres enfants!... Il fallait leur cacher leur père, n'est-ce pas?

Elle alla se rasseoir près de la fenêtre, sans répondre; et un grand silence tomba entre eux, si écrasant que la chambre, en des espaces d'impassible immobilité, à jamais délaissés par aucun écho humain, semblait reculer un lieu hors du temps et de la vie. Mais petit à petit, dans ces spirales d'un puits de silence, le faible battement du balancier de la pendule sur la cheminée se mettait à retentir toujours plus fort (ou le sang en ses artères ou ce battement et ce sang à la fois), fauchant ses secondes d'éternité d'un tic-tac qui semblait battre la mesure de ce silence et qui finissait par retentir au vide de son cerveau (comme si le mécanisme eût été enfoui là), et qu'il scandait en ces mots avec l'isochronisme stupide d'un métronome:

—Une—deux—une—deux...

«Est-ce que je deviendrais fou, se demanda-t-il à la fin en constatant qu'uniquement cette fonction machinale le possédait. Il s'imposa le front, se leva, retomba, et de nouveau il nombrait: Une—deux—une—deux, sans pouvoir se départir du mouvement du pendule. Il sentit que la parole seule délierait cet enchantement stupide, qu'il lui fallait parler à tout prix pour rompre ce silence obsessif. Il se tourna vers sa femme.

—Lydie! ô Lydie!

—Non, dit-elle en remuant la tête, à quoi bon?

—Accable-moi, injurie-moi, oh! tu en as le droit. Mais ne laisse pas se creuser entre nous ce gouffre de silence, le gouffre de cet horrible silence...

—Pourquoi t'accablerai-je? (Au bout d'un instant elle répondit.) Je ne pourrais que te plaindre, car je sens bien qu'un autre homme est entré en toi,—oh! un homme qui n'est plus toi, bien qu'il agisse par ton geste et qu'il ait pris ta ressemblance!

—Oui, un autre homme! Voilà le mal! Et pourtant c'est encore moi. Ah! ta pitié, le mérité-je seulement encore?

—Oh! fit-elle lentement, en secouant à son front la neige de ses cheveux, celle-là, je ne puis pas vous l'enlever!

Il courba les épaules sous la mansuétude cruelle de cette parole, ne trouva plus rien à dire. Et encore une fois le silence se voûtait comme les ciments et les grès d'un cachot les murant vivants, avec une porte entre eux derrière laquelle chacun sentait l'autre très loin.

—Il est vraiment idiot qu'elle s'obstine à demeurer dans la maison, regretta tout à coup Lépervié, déviant sans raison vers le regret machinal de Rakma. J'aurais été coucher chez elle.

Comme si ce penser l'évoquait matériellement, une voix monta de l'escalier—la voix même de Rakma répondant à quelqu'un:

—Sois donc raisonnable... Puis-je empêcher qu'il frappe à la porte de ma chambre?

M^me^ Lépervié porta la main à son cœur, subitement droite, le regardant avec des yeux effrayés et lui disant:

—Vous l'entendez! Vous l'entendez!

—Sans doute c'était à Guy qu'elle parlait? pensait-il. Mais de qui parlait-elle? Serais-je allé frapper à la porte de sa chambre? Étais-je ivre à ce point que j'aurais frappé à sa porte?

Et il répondait de la tête affirmativement à la question de M^me^ Lépervié.

—Mais dites-lui donc qu'elle s'en aille, s'écria la pauvre femme en retombant assise, sa voix m'entre là comme un couteau. Faut-il que je la chasse honteusement en votre présence?

—Oui, dit Lépervié en se levant, il vaut mieux qu'elle s'en-aille... Je lui dirai qu'elle s'en aille.

Sur le point de défaire le tour de clef, il se retourna.

—Ah! tenez, insinua-t-il, la mine contrite et basse, il faudrait me laisser arranger cela. Dans la colère, on dit des paroles qu'on regrette après. Et voilà, il convient de ne pas mettre les torts de notre côté. Au contraire, en choisissant le moment, je t'assure que j'arrangerai pour le mieux de tous l'affaire.

Elle l'aperçut soudainement si effaré, avec une telle humilité dans le geste et les yeux, qu'elle céda encore une fois au conseil de la pitié.

—Eh bien, faites à votre gré, mais qu'elle s'en aille!

Et elle pensait:

—Quelle femme lâche et faible je suis! Mais quand je le vois à ce point malheureux, toute mon énergie croule. Je serais tentée de lui dire: Garde-la, cette fille, si c'est ton plaisir. Je m'en irai, moi, j'emmènerai avec moi les miens.

Au bout de la semaine, Rakma n'était pas encore partie. Il avait laissé passer deux jours sans rien lui notifier, d'ailleurs monté contre elle, agité d'une rancune pour cette équivoque parole émise dans l'escalier et qui l'associait à Guy pour un calcul clandestin. Cependant, convenait-il, il faudra bien en passer par là. Le tout est de lui faire comprendre fructueusement, cette fois, que notre commun intérêt exige cette séparation. Enfin, relancé par M^me^ Lépervié, il se décidait à l'appeler dans son cabinet, lui disait à brûle-pourpoint:

—Quelqu'un nous aura surpris. On sait tout dans la maison. J'ai eu une scène affreuse avec M^me^ Lépervié qui m'a dit qu'elle savait tout... Ah! quel ennui!

Elle levait les épaulés:

—Eh bien, qu'y faire? C'était inévitable. Avez-vous pensé réellement que jamais cela ne serait connu? Je vous assure que j'y étais très bien préparée. Et, n'est-ce pas? le premier mot de M^me^ Lépervié ensuite a été pour vous dire que j'avais à quitter la maison?

—Il est certain, hasarda le président, que du moment que la chose est patente, la vie en commun... devient... difficile, pour ne pas dire impossible.

--- Ah! c'est votre opinion? Mais votre opinion ici importe peu. J'ai moi aussi là-dessus mon opinion et qui n'est pas la vôtre. Mais, voyons, précisez: que vous a dit M^me^ Lépervié?

—Ce que vous disiez vous-même il y a un instant.

—Alors, c'est un congé? M^me^ Lépervié me casse aux gages? Hé bien, mais elle en a le droit... Seulement, je ne suis pas la femme qu'elle croit... Je m'en irai, mais c'est moi qui lui donne congé... Il y a une nuance.

—Je vois, fit-il, soulagé, en se remettant à la tutoyer, que tu prends les choses du bon côté. Alors tout est pour le mieux... Nous en reviendrons à cette idée que tu n'acceptais pas d'abord. Nous aurons quelque part un joli appartement. Nous serons bien plus heureux.

—Vous savez que je ne veux pas de ce mot. Et quant à l'appartement... Ah! mon ami, vous me faites pitié avec cette magnificence bourgeoise. Mais avez-vous pensé sérieusement que j'accepterais de vous laisser après, moi dans la maison de laquelle on m'aurait chassée? Sachez donc qu'une fois sortie d'ici, il faudra bien que vous en sortiez à votre tour!

Elle avait paru subir le premier choc avec une ironique indifférence. Mais petit à petit, comme il se taisait, prudent, recroquevillé en escargot dans sa couardise, évitant de perdre le terrain gagné par un propos maladroit, les soufres et les laves de ce cratère féminin se prenaient à bouillonner. Comprimant sa gorge sous ses bras croisés, elle marchait avec colère à travers le cabinet et tout à coup allait cueillir sur la cheminée une Thémis en pâte de Saxe qu'il adulait d'un culte symbolique. Elle la tint un moment suspendue devant le président; les yeux éclatés en caïeux, il avançait un geste pour ressaisir la frêle et mièvre image. Mais déjà au dédain de ses doigts s'ouvrant sur le vide, échappait le rose éclair de cette chair de statuette. La Thémis tombait, s'émiettait en un massacre de jolis membres épars aux pieds de Lépervié.

Alors c'était un désespoir, comme d'une religion matériellement rompue et gisant en ce bris pitoyable. Il demeurait un instant la bouche en œuf, les sourcils vermiculaires; et ensuite, presque avec des larmes, en rassemblant les morceaux, il se condoulait pour la perte de cet objet révéré.

—Ah! ma pauvre Thémis! Mon si beau saxe! Lydie me l'avait donné il y a quinze ans! Quelle méchanceté te l'a fait casser! Ah! la sotte! la mauvaise! Ah! pire qu'une bête furieuse!

Elle le couvait sous son froid mépris.

—On me casse, moi, et vous ne trouvez pas une parole! Mais vous en trouvez pour cette inerte porcelaine! Eh bien! cette chose et moi, nous sommes à présent pareilles, toutes deux précipitées à terre, moi devenue comme votre Thémis la casse qu'on repousse du pied. Seulement (et rageusement elle piétinait les roses et azulins éclats sous ses bottines), seulement, cela n'est que terre et poussière, et moi, je suis un cœur qu'on n'écrase pas et qui se venge!

Puis, quittant la chambre sur un éclat de rire:

—Mais ramassez-la donc, votre adorée Thémis!

Dans la maison, pendant deux jours encore, elle ne laissait percer nul vouloir, gardait devant M^me^ Lépervié et le président l'air d'une personne légitimement installée et qu'aucune avanie n'a dépossédée d'un poste inamovible. Il ne lui aura rien dit, gémissait M^me^ Lépervié. Et pourtant ces délais à la longue sont intolérables.—Lépervié, lui, se dérobait, passait ses journées dehors. À la fin, excédée, elle l'attendit un soir dans son cabinet.

—Eh bien?

Le président, la mine oblique (au fond résigné à la garder si elle résistait, comme à un moindre malheur), évasivement répondit:

—Oui, je sais ce que tu me veux... Mais comprends donc! Je ne pouvais la mettre à la porte comme une simple domestique! il fallait ménager sa fierté, son amour-propre... Or, le principal, n'est-ce pas, c'était de lui signifier son congé... Eh bien, j'ai parlé comme j'avais à lui parler. Sois tranquille, tout ira bien.

—Oh! soupira M^me^ Lépervié, comment peux-tu me laisser souffrir ainsi?

Une circonstance tout à coup les rapprochait tous trois dans la salle à manger. Tout de suite la situation se dessina.

—Madame, fit Rakma, M. le président m'a dit que vous me congédiiez.

Aucun trouble en cette voix qui, subitement, dans la gêne froide montée du silence de la pièce, s'énonçait nette et métallique: (—et pourtant dans cette voix, le déclic ainsi que d'un timbre ou d'une arme, l'ordre enjoint de n'éluder par une feinte l'explication finale.) Lépervié, les yeux tumultueux, l'aperçut qui, le front haut, les lèvres serrées, mais sans dessein en apparence injurieux, les requérait. Il ne trouva rien à dire, cessa un moment de la regarder, puis de nouveau la dévisagea, cette fois d'un regard chargé de muettes rogations. Et un saisissement triste tenait M^me^ Lépervié sans paroles, elle aussi, toute blanche, frappée au cœur par cette voix entrée en elle et qui continuait à y vibrer, comme une pointe de sagette au vif d'une plaie.

Le président se taisant toujours, ce fut elle cependant qui, si faible, mais compatissante à la visible déroute de l'homme qui, déchu, apitoyait encore sa bonté, trouva la force de rompre l'accablant silence.

—Ce qui est fait reste fait, dit-elle avec dignité. Nous n'avons ni l'une ni l'autre à récriminer. Je ne vous souhaite point de mal. Je désire que vous ne nous en fassiez pas plus que je ne vous en voudrais faire.

—Madame (et Rakma souriait, parfaitement maîtresse d'elle-même), il vous resterait à me reprocher les bontés que vous avez eues pour moi.

M^me Lépervié secoua doucement la tête:

—Je ne vous en aurais jamais parlé.

Un frémissement sinua en la férine fille,—et très vite la symétrie de son visage s'altérait, il lui montait aux yeux le noir d'une eau remuée et qu'obscurcit le profond remous des vases.

—Eh bien, répondit-elle, c'est moi qui vous en reparlerai, mais pour m'en accabler, pour mieux faire entrer en moi, au moment de vous quitter, la honte et la douleur de vous avoir forcée à me chasser de cette maison.

M^me Lépervié eut un geste de la main:

—Oh! épargnons-nous de dures paroles.

—Oui, laissons cela, appuya de son côté Lépervié, étonné de la tournure que prenait le colloque.

Mais elle s'avançait, d'un pas, tout à coup courbait la tête en portant ses mains à sa poitrine, et avec humilité, les paupières basses, toute neuve en cette contrition qui, dans sa sévère robe noire, l'égalait à une pécheresse en aveu:

—Non, je sens trop mon indignité pour me résigner au silence. J'ai besoin de vous dire quelle misérable fille je suis, quelle âme égarée vous écartez de vous, avec des mots qui sont encore du pardon. Et je ne le mérite pas, ce pardon, je ne veux pas qu'il s'égare jusqu'à mes fautes.

—Encore une fois, laissons cela, ma chère, interrompit Lépervié, lanciné, roulé sur une claie d'inquiétude.

Elle lui touchait le bras et avec une extraordinaire audace de sincérité et de fourbe, le retorquait.

—Il conviendrait bien plutôt de penser à racheter nos torts envers elle qui fut notre victime (et elle insistait sur ce mot). Jetons-nous à ses pieds, *mon ami*, implorons sa miséricorde, car nous l'avons odieusement outragée, nous avons péché contre elle de toutes les manières de pécher.

Et réellement à présent elle fléchissait en un commencement d'agenouillement que M^me^ Lépervié brusquement arrêtait en criant d'une voix déchirante:

—Assez! taisez-vous! je ne puis en entendre davantage.

—Mais c'est de la folie, bégaya le président, torturé par des suggestions contradictoires, se demandant quelle machiavélique comédie concertait, en l'y déléguant pour un rôle répugnant, cette femme dont il n'avait jamais su déchiffrer l'occulte et solitaire idiosyncrasie, ou si plutôt, en cette âme triplement verrouillée, inopinément ne se manifestait un sombre devoir obtempéré, ne parlait l'injonction d'un sombre devoir.

Mais elle élevait la voix, comme pour en assourdir les leurs, du fond de ce puits d'iniquités où elle s'agitait et dont elle s'opiniâtrait à leur faire mesurer en tous sens les profondeurs. S'exaltant à mesure, en une impudeur de se mettre nue jusqu'à l'âme, elle finissait par assumer si bien la clameur d'une coupable repentie qu'en les torturant, elle avait l'air de se supplicier elle-même:

—Vous saurez tout... La maison de haut en bas est souillée de notre débauche... Il n'y a pas un meuble où nous ne nous soyons roulés... Jusque dans votre lit, nous avons râlé... Oui, le lit est plein de notre ordure... Nous avons été dans nos amours plus abjects et plus insatiables que les bêtes!

—Mais, misérable femme, vous me tuez, sanglota M^me^ Lépervié en bouchant ses oreilles comme pour empêcher ce flux de hontes d'y pénétrer plus avant.

Lépervié à son tour perdait la tête, se jetait sur Rakma, lui crispait sa main à la bouche en hurlant:

—Elle est folle! elle ment! elle ment!

Alors, à ce cri et sous ces doigts qui lui déchiraient la chair, la rigide figure de péché et de remords parut s'évader des ténèbres de l'hallucination. Elle les considéra un moment comme si elle ne savait pas tout de suite se rappeler quels actes désormais demeureraient sans recours. M^me^ Lépervié s'était effondrée sur une chaise, et son mouchoir aux lèvres, les yeux figés sans regard dans un amas de larmes gelées dont les sels ne voulaient pas se fondre et qui en obturaient, ainsi que d'une membrane cornée, les orbes éteints, s'exaltait en élans déprécatoires, comme du fond d'une agonie:

—Mon Dieu, faites que ce soit tout! Faites, mon Dieu, que cette démente créature revienne à la raison! Mon Dieu, ayez pitié de nous!

Sans l'entendre, le président, la face juteuse et cuite, deux grosses veines en saillie canelant son front, soufflait dans ses joues et s'épongeait le cou d'un geste de lassitude et de stupeur à bout.

Le mot de Lépervié lui revenant en écho dans la reprise de possession d'elle-même: «Elle ment!» Rakma combinait un coup décisif. D'une voix lente, comme pour elle seule, mais sûre que la martyre l'entendait, elle murmura:

—Il savait bien pourtant que je ne mentais pas!

C'était ensuite, perceptible seulement à une contraction du sourcil et à un frisson de la bouche, l'éveil, en ce vert visage détendu aux yeux de joie acide, d'un équivoque sourire à l'idée qu'elle laissait en partant son venimeux dard de guêpe en la plaie de douleur de cette lamentable épouse. «Je me suis vengée! elle me chasse de la maison; elle ne pourrait plus me bannir de son amer regret du passé.»

Sur ce sourire, elle s'en allait à pas humiliés, la tête fléchie, traînant vers l'escalier, en une démarche de cloître, les plis raides de sa robe. Et tout le reste du jour, toute la nuit, sans descendre ni prendre aucun repas, jusqu'au lendemain matin elle s'enfermait chez elle, avec des allées et venues et un bruit de tiroirs remués que M^me^ Lépervié entendait de sa chambre et qui faisaient sursauter le président.

—Que d'événements! mon Dieu, que d'événements! songeait Lépervié sans pouvoir trouver le sommeil. J'en arrive à ne plus me reconnaître dans cet imbroglio. Et rien à faire, s'avouait il avec le sentiment de sa réelle impuissance. Il n'y a plus pour moi qu'à me laisser aller. Ah! la créature est adverse et méchante! Même les bons sont enclins à s'agiter perpétuellement, d'où misères et querelles! Si Lydie ne s'était pas mise en tête de congédier ma pauvre Rakma, cette sotte histoire ne serait pas arrivée. Lydie, il faut l'avouer, abuse du don des larmes, mais pourquoi aussi cette idée de Rakma de tout lui avouer? Je m'y perds, je m'y perds.

Sans ressort, toute synovie intellectuelle épuisée, la tête tournoyant aux impulsions de l'événement, il en était réduit à l'existence mécanique et végétative, toujours sans débat aboutissait à cette conclusion: «À quoi bon vouloir, puisque aussi bien l'acte constamment dément le meilleur calcul?» (La torse et polypeuse hérédité, ramiculée en l'homme, vrillée à ses fibres,—inaliénable squelette adhérant à la chair des races, arbre incrusté dans le limon humain et portant à ses rameaux les familles, spectre bâtissant la maison des postérités avec les pierres sanglantes et pourries du tombeau des ancêtres,—cette revanche des courroux de Dieu contre la créature orgueilleuse qui le blasphème et s'érige souveraine en le niant, ne le tourmentait plus; il subissait la loi sans récriminer, à présent que s'était consommée la transsubstantiation, à présent que le louche et cauteleux conseiller s'était résorbé en lui.)

De l'un à l'autre flanc se roulant dans la touffeur fourmillante du lit, il se répétait, chaque fois que l'idée du départ de Rakma l'importunait:—Oui, à quoi bon vouloir et que faire? que décider?—ensuite dérivait niaisement à se remémorer la robe déchirée d'un des juges au cours de la dernière session (car encore une fois on entrait dans les vacances), a désirer l'acquisition d'une boule de métal pour la décoration de leur jardin, à se suggérer la nuance des rideaux qui le mieux ferait ressortir l'inévitable acajou (ou le palissandre) dévolu à l'appartement qu'ils iraient occuper.—«Un cabinet pour moi, un salon, une chambre à manger, mais surtout je serais exigeant pour notre chambre à coucher.»

—Ah! dit-il tout-à-coup, en se rappelant une lettre de son fils trouvée dans la boîte, j'ai oublié de la lire. Que pourrait-il bien m'écrire?

Il ralluma la bougie et déchira l'enveloppe. Mme Lépervié, jugeant indispensable d'éloigner Guy de la maison, avait exigé qu'il voyageât. Il leur écrivait de Coblentz qu'il s'ennuyait, que l'isolement l'attristait, qu'il ne pouvait vivre plus longtemps loin d'eux.

—Non, non, s'écria Lépervié. Qu'il reste là-bas! Qu'il continue à voyager! L'œil dont il regardait Rakma commençait vraiment à m'inquiéter...

Il espéra que la lumière, en lui criblant les yeux, exténuerait sa veille. Il laissa la bougie allumée, s'ingéra des idées émollientes, demeura sans mouvement pour récupérer le sommeil. Et enfin une torpeur doucement l'accablait, il percevait la sensation de s'enfoncer en un évanouissement dans le vide, subissait la plongée d'un ascenseur dévidant ses cordes dans une cage souterraine.

Mais, au bout d'un temps, il lui venait un soubresaut de réveil en palpant sous sa main la tiédeur d'une chair. Il se réveillait ensuite à un frôlement de rire lui chuchotant à travers la passion de deux lèvres chaudes à sa bouche: «C'est moi. Tais-toi.» Et il l'apercevait roulée dans ses draps, toute nue, la tête en ses cheveux dénoués contre la sienne, dans le creux de son oreiller, avec le feu noir des prunelles parmi la figure éteinte d'ombre et l'ébrasement de cette bouche carminée qui riait et le baisait.

—Oh! dit-il, c'est toi! Quelle imprudence!

Elle le nouait plus étroitement, lui pointant les aigus citrons de ses seins dans la poitrine, enroulant à ses jambes ses fibreux jarrets comme un lascif et agile serpent. Maintenait le chatouillement de son rire lui glissait au cou, à la nuque, aux aisselles en des mangeries de baisers, le pinçait sous les draps de voluptueux émois, tandis que les électriques et vrillants rameaux de cette lambrusque de chair brûlante l'incrustaient.

Mais est-ce que je rêve! s'interrogea-t-il en caressant la maigreur capiteuse de ses hanches. Il subissait vraiment, à être possédé par l'incube en la ténèbre taciturne de la maison, comme le rêve mal éveillé d'un viol mi-consenti.

—Mais oui, c'est comme si j'avais rêvé, se confirmait-il encore au matin, en tâtant le lit vide autour de lui, après un sommeil accablé duquel il sortait les reins démolis, les bras mous, sans force pour se lever.

Vers midi enfin, Lépervié, avigouré par les ablutions, quittait sa chambre, entrait dans l'appartement de sa femme. Mais la chambre à coucher était vide, le lit encore défait, et il pénétrait ensuite dans un cabinet qui donnait sur le jardin et par la fenêtre duquel il l'apercevait assise à l'ombre de la tonnelle, avec Paule travaillant à ses côtés. Le frôlement d'une robe derrière lui le fit se retourner.

—Ah! c'est vrai, tu t'en vas?

Rakma, debout sur le seuil, en chapeau, achevait de boutonner sa jaquette.

—Mais, fit-elle en riant, ne faut-il pas que je m'en aille, puisqu'on me chasse?

Une soudaine et immense lâcheté de sa chair le rendit très faible, ses mains tremblaient.

—Tu pars! tu pars! Voilà donc le grand moment! répétait-il, en s'attestant ainsi le désastre final où sombrait leur vie coupable.

Les mots l'étranglaient; il se mit a pleurer.

Mais elle haussait les épaules.

—Oh! moi, j'y suis faite à présent. D'ailleurs ici, ou autre part, est-ce que je ne suis pas toujours ta vraie femme?

Alors elle lui renversait entre les bras sa taille souple, avec un cambrement en arrière qui sous les yeux de Lépervié amenait le calice de passion de son ensorceleuse bouche aux lèvres écarlates comme des gousses de piment, écarlates comme le viol et les coquelicots d'un sang frais. Il ne put résister à leur appel, s'y suspendit, mordant, à la grappe de délices qu'elles lui tendaient, le goût des anciens baisers, se grisant de leurs acides et subitement froides salives. À la fin, il la sentait se prendre et comme se figer dans son désir. Un raidissement, sous le gel des affres amoureuses, lui donnait tout un moment la rigidité d'une petite mort.

—Porte-moi là, expira-t-elle en un souffle. (Et d'un mouvement de la tête à son épaule, elle lui désignait le lit, le lit des messes noires.) Une dernière fois, oui là! Hors de lui, béguetant et larmoyant, il l'enlevait, la jetait sur la forme moulée en un reste de chaleur aux draps, sur le creux resté aux draps du corps qui à peine en était sorti et dont, sous la retombée de leurs membres lacés, tout à coup ils aplanissaient le vestige,—tous deux dans des râles et des cris se roulant au sacrilège des communions impies, les vêtements saccagés, la petite capote de Rakma tout écrasée sous le poids de la tête dont il lui fouissait la nuque.

Léger, furtif, agile, un pas, un aimable petit pas ailé (arrête, arrête, enfant!) frôla les tapis de l'escalier, un pas qu'ils ne pouvait plus entendre et qui montait, se pressait, se rapprochait une seconde, s'immobilisait sur le seuil de la porte restée ouverte. Puis un cri partait, l'effroi et la douleur d'un cri, un tel cri qu'une âme s'y déchira. Paule, accourue pour surprendre son père à son réveil, tour à coup apercevait (ah! l'horreur de dire cela), parmi les robes et les linges dévastés, un battement affreux de membres en l'air comme des bêtes ruées au massacre, une fureur honteuse de chairs nues qui s'étreignaient. Et, toute pâle, épouvantée, elle se rejetait à travers l'escalier, sautant les marches, les deux mains devant elle.

Au cri, Lépervié se retrouvait debout, battu d'un si grand tremblement qu'il lui fallait un violent effort pour se traîner jusqu'au palier; et dans ce tourbillon d'une robe s'envolant par la profondeur de la maison, tout à coup il reconnaissait sa fille.

D'une voix morte, il l'appelait: Paule! ma Paule! Mais la robe s'engouffrait plus avant dans le recul de l'escalier. Et il ne sentait plus en son être raidi qu'un choc sourd de son cœur à son flanc, les yeux fixés sur la disparition de cette claire et joyeuse robe de son enfant par le vide.

Puis une autre robe (robe de deuil et de désastres), celle de Rakma, à son tour fuyait dans l'éloignement. D'en bas, elle levait la tête et d'un signe lui enjoignait de descendre. Il obéissait à ce commandement de la petite main mauvaise, dégringolait une dizaine de marches. La porte de la rue ensuite battait; il tressaillait, prenait peur, comme si, loin d'elle, toute force désormais faillirait; et il n'avait plus qu'une pensée instinctive, irréfléchie, la rejoindre, il se lançait à travers les marches, décrochait à la hâte du porte-manteau un pardessus et un chapeau, se mettait à doubler ses enjambées à la poursuite de Rakma, là-bas marchant très vite, droite et sévère dans sa robe noire, son petit chapeau noir, sa jaquette noire.

Paule en courant avait traversé le jardin, s'était jetée aux bras de sa mère, avec cette clameur brève:

—M'man! m'man! oh! maman!

M^me^ Lépervié, ignorante encore, mais soudain toute froide, le cœur arrêté, la pressait contre son sein,—d'un geste de passion et de défense enfonçait en l'abri de son sein cette chère tête aux roses muées en lys. Et, avec les mots câlins dont on dorlotte l'hallucination d'un petit enfant fiévreux:

Voyons... Remets-toi... Ce n'est pas vrai... Je t'assure qu'il n'est rien arrivé.

Paule plus avant entrait son visage dans cette chaleur de la poitrine maternelle, demeurait là, avec la ténèbre sur ses yeux de cette nuit de la gorge, baignant le mal de ses pauvres yeux dans les froides sueurs montées à ces mamelles de la mère, les y lavant comme en la fraîcheur d'une eau de la douloureuse souillure (ses tristes yeux fermés sous le rideau des paupières pour échapper à la tenace horreur de la vision, et néanmoins toujours plus large ouverts sur la brûlante horreur de la vision entrée en leurs orbes et qui n'en pouvait plus sortir!)

—Mais voyons, parle, qu'as-tu? répétait M$^{me}$ Lépervié, en courbant jusqu'aux cheveux de l'enfant sa bouche errante en baisers, (répétait-elle maintenant, torturée de mortelles angoisses).

Et enfin Paule, sans lever la tête, du fond de cette poitrine où elle roulait son front et ses yeux, en paroles comme voilées des obscurités d'un songe, gémissait:

—Oh! maman!... Papa... dans ton lit... Il la tuait! (en paroles qui, murmurées dans la chair maternelle, pénétrèrent directement au cœur prochain, y entrèrent comme des pointes de flamberges).

Son sang, dans une seconde d'absolu évanouissement, se congela; elle sentit sa tête retomber loin, très loin en arrière, en un vide sans limites; les yeux fermés, elle resta morte un moment. Puis tout à coup, d'un plus éperdu embrassement elle enlaçait la tête de Paule, ne savait plus retenir ce cri où elle revenait à la vie par la pitié, s'arrêtant de mourir soi-même pour expirer en l'innocence flétrie de la très chaste:

—Mon enfant! ma pauvre enfant!

Longtemps elle ne disait pas autre chose, balbutiait cette plainte à travers le déchirement de son être; et ensuite une héroïque et surhumaine force pour sauver son enfant, lui mettait aux lèvres le mensonge d'un sourire en un reste d'égarement (ah! elle savait mentir! le malheur lui avait appris à bien mentir!)

—Petite tête folle! tu as cru voir, tu as mal vu... Tu sais, on croit quelquefois à des choses qui ne sont pas... Mais non, je t'assure, il ne la tuait pas... C'est affreux d'avoir vu cela... Ton père, tu sais, a comme ça des moments... Il tombe... le vertige... Elle était là, cette... Elle était là, c'est cela, oui... Et alors, le lit..., est-ce que je sais, moi? Mais ce n'est pas vrai, je te jure que ça n'est pas vrai.

Paule se convulsait en un effrayant rire pâmé qui la crispait des pieds à la tête, la bouche rigide, les yeux déments, tordant follement ses mains, toujours criant:

—Les jambes de l'autre... Ah! ah! ah! les jambes!

Alors M$^{me}$ Lépervié la prenait tout entière sur ses genoux (—Mais tais-toi! tais-toi donc! les voisins!—)la ramassait entre ses bras, n'osant requérir un secours, collant à ce rire qui ne finissait pas l'affolement de ses mains, son fixe regard du fond des orbites imprimé sur la grimace de cette pauvre face furieuse. Ensuite elle la sentait s'allonger et se pétrer dans son étreinte; le visage un bref moment gardait encore la contraction tourmentée de l'affreux rire, puis s'immobilisait en une grande stupeur triste; il ne lui restait plus au giron que le froid silence, la paix rigide d'une chair expirée. Elle appelait avec de rauques hoquets; les servantes accouraient; un cortège par l'escalier funèbrement montait jusqu'à son lit ce symbole de la mort d'une vierge.

Au bout d'une heure, Paule déploya un mouvement de réveil; elle remua la tête, mais sans déclore encore les yeux; et ses doigts déraidis brusquement palpèrent la fraîcheur des draps. Puis ses paupières se détendirent, elle se dressa, passa la main sur son visage plusieurs fois.

—Mais qu'y a-t-il? qu'est-il arrivé? demanda-t-elle en s'apercevant dans son lit, entre sa mère qui l'enveloppait de ses bras et un homme en redingote noire (Ah! C'est vous, docteur?) debout, lui souriant.

—Rien, je t'assure, non, rien du tout... La chaleur, le grand air, un petit étourdissement... Non, rien autre, répondit M^me^Lépervié.

Paule plissa les sourcils avec un pénible effort.

—C'est curieux, je ne sais plus...

Cependant quelque chose était survenu dont elle cherchait à récupérer le souvenir,—concentrée au regard duquel, à travers la chambre, elle traquait un rebelle fantôme de sa mémoire.

—Oh! oh! oh! fit-elle tout à coup en cachant sa tête entre ses doigts, les joues et le cou et les bras teintés d'une croissante rougeur qui finissait par la recouvrir entièrement comme le reflet d'une nuée sidérale et où jusqu'à la dentelle de sa chemise sembla se nuancer à cette chair soudainement aurorale.

—Ma pauvre enfant! pensa M^me^ Lépervié en regardant s'étendre le nuage de la honte aux laiteuses blancheurs de la peau. Plus d'espoir! Elle a compris! Elle comprend!

Elle se pencha, posa le bout de ses doigts sur la vision restée vive en la plaie des yeux:

—Voyons, chérie, dors, tu as besoin de dormir.

Paule prit cette main, la baisa, la mit ensuite sur son cœur; et très doucement, en souriant et fermant les yeux:

—Mais je n'ai rien. C'est fini. Vois comme je dors.

...En un canton du littoral méditerranéen, dans un pauvre village sans hôtellerie qu'une osteria de peintres et de rouliers, un très jeune homme et une dame d'âge équivoque à petits pas montent la côte. Lui fluet, le teint mat, nul vestige pubère aux lèvres, la minceur du corps trop à l'aise dans la coupe disgracieuse d'un complet gris. La dame, corpulente, le visage chiné et talé sous un écrasis de talc, manœuvrant en sa robe de foulard beige que d'un geste gauche elle relève jusqu'aux jarretières.

Le jeune homme finit par s'impatienter, se lance à coups de jarret sur l'escarpement, de là-haut raille avec un rire grêle le cheminement massif de sa compagne.

—Mais (han! han! mes reins!) attends-moi donc, Alfred, requiert par moments celle-ci accablée, une main au bec d'un parasol qu'elle enfonce entre les pierres comme une canne.

Il s'assied, absorbe en ses étranges yeux sombres les fluides ors lumineux du paysage, grille une cigarette. Quand, enfin, ahanant, elle parvient à le rejoindre, l'ironique fifre de son rire la harcelle:

—Es-tu poussive, ma grosse bête de femme!

Une close et muette solitude plus haut, plus loin (l'air des monts grise ce nerveux jeune homme infatigable), sous l'oblique déclin rose du soleil leur dénonce le terme de l'escalade. À peine un moite filet ourle le col de sa nuque; mais une fontaine ruisselle aux membres exténués de l'épaisse dame; son front larme en gouttelées qu'elle étanche d'une main à la paume carrée. Et l'un près de l'autre, ensuite étendus sur les mousses, ils s'attardent d'abord sans rien dire, savourant l'énorme paix sauvage du lieu.

Bientôt le visage décomposé de la tocasson, sous le chavirement de ses bandeaux qui lui donne l'air d'une sagouine en perruque, excite l'hilarité du jeune mâle fibreux.

—Ah! mon cœur, ce que vous êtes irrésistible!

—Bon! ris, va! Mais du diable si tu me rattrapes encore en ces sentiers de chèvres! Oh! aie! mes reins!

Elle fait sauter son chapeau, dépose son chignon, délivre jusqu'à la ceinture ses jambes captives dans la supercherie des robes;—et apparaît la calvitie et le sexe d'un vieil homme.

D'abord, pour déjouer les recherches, ils s'étaient tenus cachés dans une auberge hors de la ville. Le président, en peine d'argent, risquait une démarche chez son notaire (une avance de 5,000 francs pour l'achat d'un terrain, remboursable à la fin de l'an.) Avec ce viatique, consenti ingénument par le crédule tabellion, ils gagnaient Paris, partaient pour Marseille. Là, Lépervié résignait ses favoris; ensemble ils allaient se munir d'un complet pour elle, de vêtements de femme pour lui, et dans le coupé qui les emportait vers Nice, ils opéraient le définitif travestissement. De ville en ville, ensuite, ils assumaient l'air et le renom d'un couple inassorti, mais légitime, elle dissipée en la gaminerie d'un adolescent cueilli en ses prémisses, lui se grimant à l'imitation d'une matrone amoureuse et coquette (Rosine pour cet Alfred).

Ce suprême toxique leur avait été suggéré par Rakma pour raviver la monotonie d'une liaison que d'autres aiguillons, actuellement amortis, n'éperonnaient plus. Et ce stratagème, en effet, depuis près d'un mois, comme un condiment salace en un trop usuel ragoût, les amusait d'une reprise de leur vice en cette inversion frauduleuse de leurs sexes. Chaque matin, avec des fards, des onguents, un laborieux maquillage au crayon et au pinceau devant la glace, elle concertait les arrois de cette fausse féminilité de son blet et glabre visage. Alfred à son tour enfilait ses grègues, comprimait ses petits seins sous le gilet, endossait le veston. Et leur plaisir ne s'épuisait pas de caresser sous cette duperie de la vêture l'androgyne dont ils se leurraient l'un l'autre et qui toujours ne déroutait pas le soupçon.

Au début, une peine foncière, le mal d'un déchirement physique avait opprimé Lépervié pour cette fuite de la maison irréparablement déchue, par sa faute à jamais déchue et livrée au malheur. La veille de leur départ, une impulsion irrésistible, à la tombée du soir, le portait vers la triste rue. Il avait rôdé sous les fenêtres closes; son feutre abaissé jusqu'aux yeux, il était resté sur l'autre trottoir à considérer la clarté d'une lampe derrière les rideaux de la chambre à coucher de sa femme. (Ah! se disait-il, ce fut là, là! Ce fut là que s'entendit ce cri! Et que font-ils à présent? Que disent-ils? Peut-être ils parlent de moi?) Tout à coup le guet d'un voisin le mettait en fuite, il s'évadait par la nuit, en proférant le cri de l'enfant tout haut, en se criant, pour mieux en resubir la matérielle évidence, la pauvre clameur brève et souffrante.

Petit à petit ensuite les ruses de la maléfique artisane, en le surmenant d'aigus éréthismes qui le vidaient jusqu'à la fressure, du même coup lui déblayèrent la mémoire de ce suprême reliquat de paternité. Et une pierre sembla scellée sur le trou où s'était écroulé l'honneur de la famille, une pierre qu'il n'essayait plus de soulever, qu'elle ne voulait pas qu'il soulevât, tous deux couchés sur le lit de cette pierre, par-dessus la mort de la maison enfouie là!

Toute cette horrible nuit, elle l'avait excédé de ses pratiques enragées. Il gisait sur les draps, raide et froid, râlant un caverneux gémissement, les os rompus, les vertèbres comme raclées par les frottées furieuses d'une rape. Aux lueurs de la bougie, en ouvrant enfin les yeux, il l'aperçut qui, accroupie dans le lit sur les genoux, ses noirs crins en serpents ruisselants jusqu'à ses hanches nues, guettait la résolution de sa rigide agonie.

—Oh! implora-t-il, effrayé du dessein qu'il lisait dans son regard, laisse-moi... Va-t-en... Han! Han! je souffre... Han! je crève... Va-t-en, assez! Han! le dos!... Des épines, de la poix... Oh! oh! oh! que je souffre!

—Mais non, mon petit président, répondit-elle avec son affreux rire; ce n'est pas vrai... Il y a encore de la ressource.

—Va-t-en, laisse-moi. Han! tu veux donc,—heu! heu!—ma mort! Ô la rosse! Ô démon!

Elle prit à poignées ses cheveux, les torsa en tresse, et les lui roulant autour du cou,—(Ah! heu! tes mains comme des griffes, tes mains comme des ciseaux! Lâche-moi! Va-t-en! criait-il en se débattant)—le nouant ainsi qu'avec des lianes de poils, elle en gardait les bouts dans ses mains pour mieux l'y retenir contre sa gorge.

—Ta mort... Une mort dans les baisers! Ah! Ah! le pauvre homme!... Mais oui, n'êtes-vous pas à moi jusqu'au bout? Ne suis-je pas votre charançon final? Ah! Ah! nous avons fait du chemin! Ah! cela mûrit. Mais, attendez! Je sais d'autres caresses... Nous en inventerons d'inédites et de terribles... Allons, monsieur... Allons! vous savez bien que vous ne m'échapperez pas, ma petite femme.

—Non, assez, va-t-en! Oh! des aiguilles à présent, des miliers d'aiguilles... Oh! elles me mordent! Quelqu'un me cogne avec un maillet dans la nuque!

Il battait l'air de ses bras pour la repousser; mais toujours elle l'assaillait, merveilleusement ingénieuse et souple pour se couler jusqu'à sa chair qu'elle se mettait à tourmenter de supplice raffinés, pendue des ongles et des dents à ce corps tordu par d'inutiles épreintes, lui collant à la peau comme une ventouse la diligente voracité de ses mâchoires.

Ces tentatives, à mesure qu'elles s'activaient, arrachaient à Lépervié des hurlements. Ses membres, comme battus de décharges voltaïques, piqués au vif des moelles de cou de lancette innombrables, soubresautaient et crépitaient, disloqués de spasmes tardifs qui le racornissaient de la nuque aux orteils. Il connaissait le recroquevillement éperdu d'une vivisection qu'auraient pratiquée jusqu'à l'os de multiples scalpels s'exerçant à lui scarifier le derme, à lui trancher les filandres, à le laborieusement écharner. Un tourbillon de lèvres affamées s'abattait sur les plaies infinies dont il se sentait perforé; elles se repaissaient (comme en ce rêve d'autrefois) de ses intestins, le dépeçaient lambeau par lambeau.

Crissant des dents, les prunelles révulsées et fulgides, des étoupes enflammées lui brûlant le dessous des ongles, il mordit l'oreiller que, pour étouffer ses cris, elle lui appuyait sur la bouche. Mais ses hurlements s'entendirent au travers comme si elle l'eût écorché vivant, comme si elle eût étrillé avec un peigne de fer sa chair en bouillie. Enfin, les affres d'un plaisir atroce le tétanisaient, il vomissait sa vie dans un râle, demeurait jusqu'au matin pâmé, sans souffle, algide comme un cadavre.

La tortionnaire un long temps ensuite se tenait penchée sur ce visage blême, tiraillé par une grimace d'empalé. D'un œil cruel et violent, elle regardait l'effet de ses ruses, goûtait une joie acérée à voir s'éteindre les dernières convulsions de cette chair savamment tenaillée.

—Va, va! Dors ton sommeil stupide, pensait-elle. Demain nous recommencerons. Ô ma haine! sers-moi jusqu'à la fin, sers-moi bien, ma haine! Il y passera, et d'autres après lui. Ah! je m'aime en me vengeant. Haine, ô haine! sois mon amour. Maintenant la besogne s'avance. J'aurai éprouvé sur celui-ci les définitives recettes. Malheur à ceux qui ensuite me tomberont sous la main!

Elle sortit du lit, s'agenouilla sur le carreau, fit son oraison de chaque soir.

L'ennui de leur isolement les délogeait de cette bourgade au bord de la mer. Ils repartaient pour Marseille, afin de se replonger aux tourbes sociales et de renifler de près les pestilences vicieuses des grands cloaques.

Lépervié pleura de vraies larmes en réintégrant ses habits d'homme.—Ah! cela m'allait si bien de n'être plus que ta femme! (Hein! aïe! qu'est-ce que c'est?) Je t'en prie, fais-moi ces boutons, attache-moi ces bretelles, je n'en viendrai jamais à bout. Ah! Alfred! mon Fred!

—Mais, dit-elle en riant, il n'y aura rien de changé. J'entends bien être toujours l'homme.

—Non, gémit-il en secouant la tête, ce ne sera plus la même chose.

À peine arrivé, Lépervié, découragé, courbatu, plus que jamais torturé de douleurs dorsales, alla consulter un empirique qui le drogua.

—Cet homme est un fourbe, lui dit Rakma. Il vous leurre de ridicules panacées. Au lieu de vous saturer d'engourdissants bromures, il vaudrait mieux expérimenter des stimulants. Votre maîtresse, si vous persistez dans votre indolence, n'aura bientôt plus rien à faire auprès de vous, et là, franchement, mon gros papa, je n'ai pas le tempérament d'une garde-malade.

—Eh bien! déclara Lépervié, à la fin agacé de ses gourmandes, honteux de toujours échouer sous ses caresses en des communions blanches,—consultons les rubriques énoncées à la quatrième page des journaux. Nous y trouverons bien l'adresse d'une officine secourable... Mais non, dit-il, fâché de n'y voir partout que des remèdes contre l'impuissance génésique, ce n'est pas mon cas... Je ne puis être suspecté de ce mal organique... Ah! voilà l'affaire, pensa-t-il en lisant l'annonce d'un cabinet spécial traitant la débilitation de la virilité.

Le véreux industriel, qu'il partait visiter, lui débitait un onguent et diverses thériaques. Mais cette thérapeutique demeurant négative, il s'ingéra à hautes doses des poudres cantharidées qui lui enflammèrent l'estomac et squammèrent sa peau de dartres violâtres. À force de s'en irriter le sang, il parvenait à récupérer une excitation dont encore une fois elle abusait pour lui infliger d'âcres et voluptueux sévices. Elle exagérait pour lui une cuisine poivrée des plus salaces condiments, lui prodiguait la truffe, le gingembre, le capsique, le carry, avait recours à de déshonnêtes expédients pour sensibiliser sa chair mortifiée, sinapismes bouillants, fustigeages, cautères. Il éprouvait alors le râclement d'une herse sur l'échine, la douleur d'un dépècement sous de rouges tenailles, des chocs de merlin lui pilant la nuque et lui concassant les reins, la cuisson de résines ardentes et de corrosifs acides qu'on lui eût lentement versés sous la peau.

Le spasme, longtemps différé, enfin éclatait parmi des cris et d'affreux gémissements; tout son squelette se disjoignait, craquait, pantelait, tandis qu'il évacuait une débile et sanglante nature. L'homicide Rakma sentait s'exaspérer durant ces crises son sauvage amour de la destruction. Pendant une minute, elle aimait à sa façon le triste débris sur lequel elle achevait d'assouvir ses luxurieuses colères. De son âme forcenée, de son âme impénétrable et forcenée, se levait une sombre joie, une aigre jouissance de tueuse savourant le forfait accompli, de broyeuse d'homme capable d'engloutir des races entières en son creuset.

À la longue, ces excitants déjouèrent leur espoir. Elle dut le violenter pour l'obtenir; il l'injuriait, ne cédait plus qu'à travers des jurons et des exécrations, une fureur d'impuissance qui ensuite se diluait dans des pleurs enfantiles ou s'éteignait en un total accablement.

Il en arrivait à la redouter comme son bourreau, geignait et larmait avec de petits cris sitôt qu'elle le touchait, tellement affaibli de sens et de volonté qu'il ne lui venait pas même la pensée de la fuir. Dans les intervalles de son morbide orgasme, il se plombait en de rigides stupeurs d'où le tiraient d'électriques pincements de ses nerfs pianotés par un mal subit, s'étirant et se recroquevillant comme des cordes de violon sous de frénétiques pizzicatis; et des silles de feu lui torpillaient le râble, le suppliciaient de la sensation de moxas collés à son derme.

Un marasme foncier en outre l'incitait à des idées funèbres, à de tenaces et opprimants cauchemars. Il entrait dans une église. La foule circulait avec des cires allumées autour d'un catafalque. Lui-même s'emparait d'un cierge et faisait le tour du poële dérobant la bière. Le voilà donc mort, entendait-il dire, ce fameux président Lépervié dont les malheurs et les crimes tinrent une si grande place dans le monde! Le voilà donc livré aux vers, dégorgeant sa pourriture, devenu au physique l'infection qu'il était au moral!—«Oui, se disait-il, c'est bien le président Lépervié que recèle ce cercueil. Moi, je traîne son ombre, je traîne pour l'expiation sa mauvaise conscience.» Ensuite des porteurs en grand deuil amenaient sur une civière une seconde bière qu'on hissait à côté de la sienne sous le drap mortuaire; une troisième suivait, puis une quatrième. Aussitôt des soupirs et des imprécations s'élevaient sous les voûtes. Celle-ci, disaient des voix, est la pauvre M^me^ Lépervié; et maintenant voici son fils et voici sa fille; tous sont morts; il les a entraînés avec lui dans la tombe. N'est-ce pas une horreur?

Encore il se voyait étendu sur une dalle d'amphithéâtre. Un homme à museau de singe insérait un scalpel en ses fibres, lui découpait le cuir en minces lanières que d'autres torsionnaires, ses collègues du tribunal, après les avoir divisées en lamelles plus petites, portaient rôtir sur un gril. Et une prodigieuse araignée, un monstre pustuleux et chevelu, brandillant des appareils terminés par des bouches, avec la rouge lentille fixe d'un œil immense dans une cavité du ventre, se couchait sur les trous de sa chair, s'occupait à lui pomper de ses innombrables suçoirs un sang coagulé, lui causant un chatouillement voluptueux, une molle et infiniment heureuse titillation.

—Cependant, se disait Lépervié à mesure que se rapprochait le terme des vacances, il va falloir penser à rentrer. Quel ennui! Et nos finances que voilà à peu près épuisées? Que faire? Il n'y a que Rakma pour nous tirer de là!

Depuis ces deux derniers mois, son intelligence subissait un tel déchet qu'il ne parvenait plus à abouter ses idées. Celles-ci gluaient en une bouillie épaisse comme si sa substance cervicale, baratée sans répit, se fût à la longue gélatinée. Toute volonté résolue, il ne pensait et n'agissait que par Rakma, lui déléguait la totale direction de leur vie.

—Voyons, lui dit-il, tu devrais bien nous trouver une idée... Une fois rentrés, il nous restera à peine (Aïe! ma tête!) de quoi nous payer un humble... Ah! ah! le mot ne me vient pas! Ah! ah! garni, un humble garni! C'est cela que je voulais dire.

—Mais, répondit-elle, je ne vois pas ce qui vous empêcherait de rentrer chez vous... M^me^ Lépervié sans nul doute sera heureuse de vous rouvrir ses bras.

—Oh! cela non, je t'en supplie, ma petite Mama... Tout est fini, de ce côté... Je n'ai plus que toi, (Han! Cré Dieu! ces reins!).

—Eh bien alors, fit-elle en haussant les épaules, puisque vous possédez des biens, il vous suffirait de prélever une hypothèque.

—Ah! ah! tu as raison. C'est vrai... mais oui.

Un soir, ils débarquaient, allaient passer cette première nuit du retour dans un hôtel voisin de la gare. La reprise des audiences échéait à la fin de la semaine; il restait à Lépervié cinq jours pour régler ses affaires. Son notaire, qu'il visitait, lui procurait un prêteur. Il signait l'acte et touchait 15,000 fr.

—Tiens, dit-il à Rakma en remontant dans la voiture où elle l'attendait, prends-les. C'est toi qui gèreras notre petite fortune. J'aurais trop peur de moi.

Pendant toute l'après-midi, ils battaient les faubourgs à la recherche d'un garni décent. Ils finissaient par en trouver un à peu près convenable dans un quartier populeux où ils espérèrent dépister l'attention. Lépervié ensuite soldait le terme, déclinait ce nom frauduleux: M. et Mme Dulieu.

Puis les tribunaux rouvraient.

Il prétextait une indisposition pour manquer la mercuriale du procureur général: toujours les conseillers vêtaient pour la circonstance la robe rouge; mais impossible de se procurer la sienne, restée à la garde de Mme Lépervié. D'ailleurs, cette cérémonie de la rentrée, après lui avoir causé autrefois de nobles satisfactions (une famille qui, longtemps dispersée, enfin se rejoint pour de sévères et communs travaux), à présent lui répugnait comme une corvée.

Mais le jour suivant, il arriva à l'heure précise des audiences. Sa robe garnie de l'emblématique chaperon, pendait au vestiaire; il l'endossa, sans retrouver le geste décoratif dont antérieurement il l'amplifiait. Flasque et exténué sous les larges lais, il s'oubliait à relever les pans du même mouvement de main dont naguère il troussait ses jupes de femme, tortillant ses hanches par un reste d'habitude à croupionner sous les poufs, tellement avarié, avec sa face mouflarde aux orbites pochés et cariqueux, ses favoris abolis et ses joues fongueuses, tavelées de macules jaunâtres, picotées de poils de barbe poivre et sel, que des collègues passaient à côté de lui sans le reconnaître.

«Pourvu, pensait-il, que Lydie n'ait pas eu l'idée de me relancer jusqu'ici; pourvu qu'elle ne délègue pas Guy afin de tenter une réconciliation! Ce serait une scène insoutenable! Mais non, se dit-il ensuite, je la connais, elle n'est pas femme à recourir à de tels moyens.»

Bientôt on l'entourait; d'autres présidents de chambre venaient à lui.—(Vous avez maigri, mon cher, vous êtes donc souffrant)?—Oh! il avait voyagé, il avait abattu de grands trajets, il s'était un peu fatigué. Sa voix les étonnait, altérée comme sa personne; les cordes s'en étaient détendues, faussées comme pendant une période de mue; les mots, en outre, ne s'extrayaient que péniblement, à travers un crépitement de vésicules salivées par un début de blaise. Ce notoire déclin, ces indices du ramollissement inévitable, en corroborant de précédents indices, émurent le Palais. On colportait un mot d'un vieux robin acide: Lépervié n'était pas un aigle, il est en passe de dégringoler à l'oison.

Enfin il reprenait possession de son siège, derrière le drap vert; ses assesseurs s'asseyaient à ses côtés; le greffier ânonnait un interminable rôle. Mais, pendant cette lecture, Lépervié tout à coup s'endormait; un des juges était obligé de lui secouer le coude; il s'éveillait en sursaut, regardait avec effarement l'assistance.

—Quoi? quoi? Ne peut-on me laisser en paix?

Des rires s'élevèrent du banc des avocats.

—Voyons, messieurs, dit le juge en frappant de la main son pupitre.

Et se tournant vers Lépervié:

—Vous n'êtes pas bien... Il serait, je crois, plus convenable de vous retirer momentanément.

—Oh! dit Lépervié, ce n'est qu'un peu de lourdeur à la tête... Il fait étouffant ici... Je vous en prie, qu'on ouvre un instant la porte.

L'air froid des corridors dissipa passagèrement son engourdissement. Il appela la première affaire, se mit à lire les enquêtes. Mais les lignes s'embrouillaient devant ses yeux, il sautait des paragraphes entiers; il fallut que le juge derechef lui vînt en aide.

Enfin il interrogeait les témoins (c'était pour la centième fois l'histoire d'un pauvre ménage ulcéré,—une mère délaissée avec ses enfants, tandis que le mari concubinait scandaleusement). Mais inopinément s'en prenant à l'une des parties en cause:

—C'est vous, n'est-ce pas, madame, qui—han! ah!—êtes la plaignante? Votre mari aurait des torts envers vous? Est-ce que d'abord il n'a pas été bon époux?... Est-ce qu'il n'avait pas *aussi* une franche canaille pour grand-père?

—Mais, lui insinua le juge à l'oreille, les agissements du mari sont tout ou long consignés dans la requête... Et vous venez de les lire.

Lépervié haussa les épaules.—Il s'agit bien, n'est-ce pas? d'un mari qui a une maîtresse? Mais à qui—han! han!—pareille chose n'arrive-t-elle pas? Les torts d'ailleurs ne sont pas toujours... toujours... du côté de celui qui... qui paraît le plus coupable.

—Dans ces conditions, s'écria l'avocat de la demanderesse, il n'est pas possible de plaider.

L'assemblée tumultuait; un désarroi nerveux dispersait le tribunal.

—Je ne me refuse pas à vous entendre, mâchonna Lépervié en s'efforçant d'articuler avec netteté, mais j'ai bien le droit, il me semble d'émettre... une... o... o... opinion.

Le juge de nouveau se pencha:

—Je vous assure, suspendons l'audience. Prenez un congé... Vous n'êtes pas du tout à l'affaire.

—En effet, je me sens dérangé. Un congé seul pourrait me rétablir.

Il évacuait son siège, entrait au vestiaire troquer sa robe contre son pardessus; mais, en traversant ensuite les couloirs pour gagner la sortie, il ne parvenait pas à dépister un groupe d'avocats informés de son indisposition et qui, tout en l'interrogeant, le scrutaient de vifs regards.—«Mais oui, répétait-il, un voyage dans les montagnes; un peu d'épuisement...» Et subitement sa langue se raidit, il aperçut derrière un vitrage, au fond de la galerie, le guet d'une silhouette, un mince et long jeune homme pâle dont les fixes yeux le dévisageaient.

—Ah! dit-il, sans remarquer l'étonnement des visages autour de lui, c'est bien là mon fils... Dites-lui que c'est inutile... Je n'irai pas,... veux pas aller.

Rapidement il enfila une autre galerie; mais ses jambes fléchissaient, il dut s'asseoir sur un banc.

—S'il était là à présent, pensait-il, je le prendrais dans mes bras; il me dirait ce qu'ils font à la maison... Ouf! c'est un grand jeune homme... (Non, non, il en vaut mieux ainsi, il m'aurait dit des paroles dures.) Et il y a aussi Paule, ma petite Paule... Elle avait alors seize ans... N'est-ce pas dix-huit? Ah! je ne sais plus, je ne sais plus, je ne peux plus me rappeler de rien.

—Si monsieur le président voulait s'appuyer sur moi, proposa un des huissiers passant par là, comme enfin, en s'arcboutant sur sa canne, il essayait de se relever.

—Oui, c'est cela... Votre bras... Un peu faible... Mais pas ce couloir-là... Sortons par les cours.

Dehors, l'huissier s'offrit à héler une voiture.

—Une voiture... bien, fit Lépervié, une voiture, c'est cela même.

En escaladant le marchepied, il jetait au cocher une adresse. Puis le fiacre démarrait; il tâchait de réagir contre le ressac violent des soupentes en se tassant dans les bourres des capitons. Mais des chocs brusques, quand après les asphaltes, le véhicule cahota sur le pavé, lui démolissaient le râble, se répercutaient en longues angoisses dans ses vertèbres moulues. Il cogna à la vitre, enjoignit au cocher de modérer son allure; et la voiture enfin se ralentissant, il se mit à observer les rues par lesquelles il passait.

—C'est singulier. Je ne me retrouve pas.... Et pourtant, ces rues me sont connues sans que je puisse leur donner un nom. (Mais pourquoi n'entrait-il pas? que faisait-il derrière cette porte? Un autre jeune homme pourrait-il à ce point lui ressembler?) Évidemment cet homme se trompe, s'écria-t-il subitement en constatant que la voiture tournait l'angle de la rue qui pendant vingt ans avait été la sienne.... Voilà bien l'épicier.... Voilà le boulanger.... Et là-bas la maison.

Il abattit précipitamment la glace.

—Cocher! vous foutez-vous de moi? Ce n'est pas ici, ce n'est pas cette rue....

L'homme tira sur les rênes.

—Ne m'avez-vous pas dit...

Et il déclinait le nom de la rue et le numéro.

—Se peut-il vraiment que j'aie dit cela? bégueta Lépervié, interdit, la voix morte.... Eh bien! je me suis trompé... Menez-moi... Menez-moi... Mais où donc? se demandait-il en se torturant pour retrouver l'adresse de leur appartement. Rue... rue... Attendez... rue... rue... impossible, impossible!

À bout de peine, il indiqua une destination vague, un square devant une église, puis se rejeta découragé dans les rembourrages de la caisse.—«Il y avait pourtant un *o* dans le nom, rabâchait-il, tandis que les ferrures de la carne lochaient vers cette direction nouvelle. Mais comment ai-je pu livrer à ce cocher l'adresse de ma maison? Comment ai-je pu me tromper au point de prendre une adresse pour l'autre? Ma femme n'aurait eu qu'à sortir ou une des domestiques! C'est Rakma qui va rire quand je lui conterai cette... cette.....

Le cocher, vexé, molestait rageusement sa haridelle qui tout à coup s'esparait, imprimant au fiacre un si impétueux tangage que, encore une fois, Lépervié sentit se rompre son rachis et sa cervelle s'écacher comme un mou de veau. «Mais il va me verser! gémissait-il. J'ai le dos et les reins en capilotade. Si encore je pouvais atteindre le timbre!» Après une période de bordées d'un trottoir à l'autre, enfin l'équipage stoppait, il s'extrayait de l'horrible cage de supplice, et, le voiturier réglé, traversait le square en se traînant. «Le chemin, se dit-il, est maintenant tout indiqué, je descendrai le boulevard; il ne me faut pas plus d'un quart d'heure pour être chez nous.

Des rangs d'arbres scrofuleux, aux ramures en carcasse de feu d'artifice, s'alignaient entre des files de maisons graduellement plus décortiquées de leur enduit, et dont les rez-de-chaussée, dévolus à de précaires industries, avec des comptoirs d'aunages et de denrées comestibles derrière des vitrines étoilées d'éraflures, dénonçaient la zone d'un quartier populeux et dénué.

Lépervié fit une centaine de pas.

Il se sentait les reins concassés. Une peine lâche, depuis qu'il avait quitté la voiture, aussi l'accablait physiquement, sans autres nettes perceptions qu'une calotte lui plombant le cerveau et toujours le raclement d'une étrille le long de la colonne. Ah! que je suis malheureux! pensa-t-il sans se rendre bien compte de son malheur. Si du moins je pouvais un peu m'étourdir!

Il s'arrêta devant un débit dont la porte, en s'ouvrant sur des entrées furtives de torves épaules et de dos raffalés par d'humiliantes misères, laissait voir un hall fumeux, animé des gesticulations d'une foule. (Il y a là des êtres sans doute qu'un ennui cruel opprime comme moi... Après tout, il n'y a encore que cela pour un prompt et radical oubli.)

L'évaporation des alcools refoulés par les battements de la porte enfin agissait comme une exhortation à pénétrer dans ce lieu. Il se faufila timidement dans les groupes qui, debout au comptoir, se poivraient de tord-boyaux et, assis à une table isolée vers le fond, il se fit servir un grand verre de verte.

Ses crises d'ivrognerie sévissaient inégalement; il en subissait les retours passivement, ainsi qu'un mal erratique qu'il ne se sentait plus capable d'éluder, qu'il ne songeait plus même à éluder. Comme antérieurement, l'ingestion de l'âcre breuvage, en fourgonnant ses nerfs indolents, lui procura d'abord un cordial énergique. Il récupéra, l'exacte notion des événements, s'avéra sans regrets sa carrière de magistrat terminée (Rakma, d'ailleurs, ne lui fournirait-elle pas d'amples compensations?), se suggéra le plaisir qu'ils auraient à sombrer ensemble dans une grande capitale, pour d'obscurs et suprêmes péchés. Son final libertinage, sur qui s'émoussait l'acte simplement vénérien, à présent s'inquiétait de plus maladives concupiscences.

Son verre vidé, il réclama du genièvre qu'il alternait ensuite avec une seconde absinthe; puis de nouveau il coupait d'une rincée de genièvre la pâteuse amertume de cette distillation.

Mais ses toxiques, à la longue dépossédés d'impulsion, petit à petit ne laissaient plus fermenter qu'une ivresse croupissante et chagrine. Par-dessus la table, sa main s'alourdissait en gestes accablés qu'il ne surveillait plus; il oubliait l'endroit où il était, émettait de fréquents soupirs, discourait en mâchonnant des mots à mi-voix, ou demeurait les yeux vides, la tête enfoncée entre ses poings. Rakma, sa femme, ses enfants, ses collègues du Palais finirent par se confondre dans les effluves de l'alcool. De tous côtés s'entassaient des ruines; tous le pressuraient pour extraire ses derniers pleurs et lui rendre la mort désirable; il pourrissait dans un puits d'afflictions.—«Oh! pensait-il, plutôt crever sur un fumier à présent qu'ils m'ont renié! Il ne me reste rien, je n'ai plus même de famille! Ma femme et mes enfants sont devenus mes ennemis! Rakma à son tour aussi m'abandonnera; je ne suis plus qu'un excrément qu'on balaie du pied.»

Le gaz qu'un garçon allumait cuisit brusquement ses yeux, au moment où un invincible sommeil commençait de l'assoupir. Il s'aperçut assis à sa table, devant deux autres clients qui le regardaient avec étonnement. Encore une fois, sa mémoire défaillait; il lui fallut se concentrer pour se rappeler que depuis plus d'une heure il s'abrutissait dans cet assommoir.

Lépervié ensuite se ramassa dans un effort pour se remettre droit, régla son écot, gagna le boulevard. Mais l'air cru du soir, l'affairement des passants, le clignotement des lanternes tout de suite l'étourdissaient; il regretta d'avoir prématurément délaissé cette cantine secourable. Mal assuré sur ses jambes, tracassé par les fracas de la voirie, il vagua le long des trottoirs humides. Une bruine grésillait, vêtait de misère et d'ennui le pauvre aspect de ce boulevard traversé de hâves figures d'ouvriers sans ouvrage, d'enfants grelottants, de vieilles gens trottinant le dos en boule, les mains sous des châles et dans les poches,—(ces mains toujours cachées chez les maupiteux comme d'aléatoires outils, d'équivoques instruments de rapt et de travail dont ils se défieraient, les sentant s'agiter pour les œuvres réprouvées).

Lépervié errait sans direction, tournait comme une épave dans les remous de la tourmenteuse foule échappée aux obscurités des caves et des mansardes. Rakma et les siens avaient sombré dans les nébulosités qui brouillaient le cerveau; il ne songeait plus qu'à brasser au dedans de lui sa peine noire, ses lies de douleur et d'humiliation. L'alcool en s'éventant, lui laissait une onction de navrement qui presque voluptueusement, le faisait s'attendrir sur lui-même. C'était comme la douceur en lui de mollement stagner parmi les bourbes chaudes d'un marécage, de se sentir saturé des tièdes vapeurs montées d'un lac de larmes et qui l'affaiblissaient jusqu'à la jouissance.

Les yeux en eaux, il s'éplorait doucement, se cajolait de vagissements puérils, en venait à comparer avec une joie d'infinie résignation sa condition à celle des pâtiras à vau-la-rue. Il n'y a plus de différence entre eux et moi, pensait-il. Ah! pauvre Lépervié! Pauvre Lépervié!

Un rire humble, tandis qu'il répétait cette plainte, un rire comme un triste jappement de chien errant, s'étouffa dans la manche de son pardessus. Il aperçut dans un nimbe brumeux rougeoyé par la lueur d'un réverbère, un terne et triste visage où la bouche, sous une couche de fard, avait un air de sang frais.

—Monte chez moi, monsieur, dit la femme (elle semblait déjà vieille, usée par les famines et les caravanes). Tu verras comme je suis gentille.

—Non, dit-il, tu perdrais ta peine. Ma vie est déjà assez sale sans cela. Et il pensait: Rakma aussi me parlait comme cette fille.

Mais elle lui passait la main sous le bras.

—Il y en a pas comme moi, monsieur, pour amuser les hommes. Etrenne-moi, monsieur, il y a deux jours que je n'ai rien fait.

—Au fait, songea-t-il, c'est peut-être là qu'est le bonheur. Tout le reste n'est que supercherie. Celle-là, du moins, est une prostituée pour de bon.

—Eh bien, dit-il, je te suis. Mais j'aimerais autant qu'une foule te fût passée sur le corps aujourd'hui. Ce serait plus drôle, car tu sais, il m'en faut à moi jusque-là, je suis un vieux cochon.

—Ah! si c'est comme ça, tu es le troisième.

—Bien, bien, criait-il, tout à coup piqué aux moelles, sentant sa chair veule crépiter à l'espoir d'un plaisir vraiment abject, jusque-là, jusque-là!

En passant devant un épicier ils entraient acheter un litre d'eau-de-vie: puis tous deux s'engageaient dans un boyau au fond duquel un escalier en pas de vis limaçonnait. Une porte ensuite s'ouvrait; la femme haussait la mèche de la lampe.

Après des jours.

Lépervié d'abord laissa glisser sur les objets qui l'entouraient un regard inconscient, mal éveillé. Une table reculée en un coin, des amas de livres et de fardes parmi cette table, le long des murs des bibliothèques se brouillaient sur sa rétine, sans lui évoquer immédiatement un souvenir précis. Il referma les yeux, demeura près d'un quart d'heure dans un état d'absolue prostration, de nouveau les rouvrit. Il n'endurait nulle souffrance; à part une lourdeur égale, indolore de la tête, à peine il se percevait enfin sorti d'un accablant sommeil et vivant. Il n'éprouvait pas le besoin de se mouvoir; son corps, gisant inerte sous les draps, semblait avoir résigné définitivement toute activité.

Il se mit à considérer la table et les livres, regarda longuement les vitres des bibliothèques, aperçut les bras étendus d'un Christ contre le mur. Ensuite le lent roulement de ses prunelles dévia vers un divan, de là remonta vers la rosace du plafond, finit par s'arrêter sur la forme du lit très bas dans lequel il était couché. Un crépuscule pâle, un assoupissement de la clarté, estompée par la descente des rideaux (comme s'il les voyait à travers une demi-somnolence) éteignait le contour et la couleur de l'ameublement. Il ne se rendait compte d'aucun événement survenu dans sa vie; ses yeux se fixaient comme en songe sur les silhouettes émergées des pénombres; il les considérait sans étonnement, et seulement elles avaient l'air de s'illimiter dans l'espace, de déjouer par leur éloignement tout effort d'y atteindre. Des nébulosités de rêve (c'était en lui la languissante sensation de rêver parmi des choses de tout temps connues), en vaporisaient les aspects, en émoussaient la matérialité. Maintenant toutefois il les reconnaissait, il reconnaissait les moindres détails du mobilier, il lui semblait n'avoir jamais cessé de vivre dans cette chambre.

Il ferma encore une fois les yeux, comme accablé par l'excès de sa quiétude, sans se stimuler d'aucun penser, subissant uniquement le charme de paix et de silence émané d'un milieu habituel. Mais une subite douleur interne, en lui térébrant les méninges, au bout d'un temps, l'arrachait à sa torpeur; il essayait de détendre le bras pour se toucher le front: son bras restait rivé sous les couvertures. Il voulut mouvoir sa tête sur l'oreiller: la tête aussi se refusait à obéir.

Décomprimé alors par ces infructueuses tentatives, le sens, jusque-là rigide, borné à des impulsions instinctives, s'agita dans la prison de son être. Pour la première fois depuis d'obscures périodes, la passiveté du sens enfin se déliait; du fond du puits intérieur, une voix en lui sembla se parler.

Est-ce que mes membres (ainsi se présenta l'idée) seraient encore engourdis par le sommeil? Tout ceci ne serait-il qu'un rêve? Voilà bien pourtant mes livres, c'est bien ma table de travail, c'est indubitablement mon cabinet.

Son regard que seul il pouvait remuer, quand tout son corps perdurait raide et pétré, lui avérait la réalité de ce qui l'entourait; il le dirigeait avec certitude en tous sens pour s'attester à présent qu'il était bien éveillé. Mais (ce fut l'idée qui suivit) mais, pensa-t-il, en s'apercevant étendu sous les draps, comment se fait-il qu'on m'ait mis dans ce lit? Serais-je malade? Jamais il n'y a eu de lit dans cette chambre, il s'efforça d'émettre un son pour appeler; mais il ne pouvait distendre la bouche.

Réduit à cette aphonie, il s'éréthisa en d'aiguës perceptions auditives afin de conjecturer si nulle présence ne veillait auprès de lui (il ne pensait pas à sa femme ni à Rakma, il ne se précisait pas la personne qui aurait pu se trouver là).—Non, s'avoua-t-il, après cette tension pénible, rien ne bouge autour de moi. Il n'y a que moi dans ce lit, il n'y a que moi dans cette chambre.

Ensuite, à bout de forces, excédé par ses récents efforts, il cessa de penser, les yeux ouverts. Mais de nouveau, au bout de quelques instants, sa tête se rompait, un maillet lui cognait la nuque, pendant que des vrilles activement perforaient son encéphale.

La douleur passée, il se remit à écouter, espérant que quelqu'un à la fin serait entré dans la chambre. Une porte battit dans la maison, des voix tumultuèrent, des sanglots maintenant roulaient dans l'escalier, passaient sans s'arrêter devant la porte du cabinet. Il n'entendit plus ensuite qu'un grand cri, intermittent qui subitement s'étouffait pour reprendre après, pour recommencer toujours, rauque, gémissant, acéré comme le hiement d'une poulie.

—Que se passe-t-il donc? se demanda Lépervié, intéressé par ces bruits, mais trop abattu pour s'en attester les significations.

Bientôt l'escalier se peuplait de pas mystérieux et rapides. On montait, on descendait; des portes se refermaient avec précaution; et des voix encore s'entendirent, mais basses, chuchoteuses, tout de suite éteintes dans le vide, tandis que seul le cri là-haut éclatait.

À la longue, ces rumeurs le berçant, il retomba à son assoupissement. Autour de lui, la table et les bibliothèques s'enfonçaient en de plus lointaines distances, s'étaient atténuées d'un plus nocturne crépuscule. C'était encore une fois le rêve sans pensées, la confusion de toute réalité dans les estompes du rêve et de la nuit. Il crut s'apercevoir que la porte s'ouvrait et qu'une ombre noire sans bruit, sur la pointe des pieds, se coulait jusqu'à son lit. Après un moment, la chambre s'éclairait des pâleurs d'une veilleuse; malgré cette clarté, l'ombre s'évanouissait dans un passage de forme à peine distincte, n'était plus, devant ses paupières qui se joignaient, que la frêle apparence d'un être vivant s'arrêtant à son chevet. Puis cette vague lucidité d'un reste d'éveil s'effaça.

Une pâle et rigide figure maintenant (c'était encore une fois la clarté triste et voilée du jour) se tenait assise près du lit.

Après un très long sommeil, comme la veille, il ouvrait les yeux et l'apercevait immobile, dans sa robe noire, lisant en un bréviaire que ses mains d'une blancheur de cire vierge rapprochaient de son visage. Mais, se dit-il, dès qu'il put se reprendre, je ne rêve pas, elle porte un fronteau blanc, c'est bien une religieuse qui est là, me veillant. (Il se sentait sans force pour attirer son attention, incapable toujours d'aucun mouvement.) Est-ce que je serais mort, se demanda-t-il au bout d'un instant, en s'attestant l'absolue inertie de ses membres. Alors tout s'expliquerait. Cette Sœur auprès de moi... moi-même couché dans ce lit... ce lourd silence de la chambre... Mais s'il en est ainsi, il faudrait admettre que la pensée n'expire pas avec le corps, puisque, tout mort que je suis, il m'est permis de me certifier ma mort.

Il éprouvait une étrange douceur à se persuader que la vie l'avait quitté; son corps ne souffrirait plus; il resterait pour l'éternité allégé des humaines peines. Cependant, reconnut-il bientôt, hormis cette Sœur, il n'y a ici personne pour les dernières prières. M'auraient-ils déjà abandonné? Et il n'y a pas non plus de bière! Je ne vois pas les cierges, je n'ai pas de crucifix dans les mains, le prêtre serait-il déjà venu?... Ah! quelqu'un enfin pleure dans la maison (c'était, en effet, un cri comme la veille et d'affreux gémissements), sans doute ils sont là-haut à se désoler... Et n'ai-je pas déjà entendu ces voix, ne les ai-je pas déjà entendues se lamenter?... Maintenant ils ont beau pleurer et crier, c'est fini, je suis bien mort.»

Il cessa de penser, s'éteignit dans un anéantissement délicieux en se répétant doucement: bien mort! bien mort!

Cependant il voyait ensuite—peut-être des jours avaient passé—le lent redressement de la pâle figure; elle approchait de ses lèvres un miroir, se penchait par-dessus son front vers ce miroir; et il tenait les yeux hermétiquement clos, (afin peut-être qu'elle ne pût l'accuser de supercherie, afin aussi que sa mort parût indubitable,) il suspendait son souffle. Mais une douleur subitement revenait lui percuter le crâne; il écarquait avec angoisse ses paupières. Le visage bienveillant de la religieuse lui souriait, tandis qu'elle lui passait sur le front le frôlement de ses doigts secourables.

Non, non, raisonna-t-il, ce n'était qu'une idée; je vis encore puisque je me sens souffrir et que son sourire est comme un encouragement à supporter mes maux.—Elle ne quittait pas tout de suite son attitude de veille au bord des draps. Mais des gémissements, de nouveau, et des sanglots descendaient à travers l'escalier. Il entendit un bruit de marteaux s'émousser comme sur des draperies. Toujours ces cris, pensait-il. Que se passe-t-il dans cette maison? Puisque ce n'est moi, sans doute quelqu'un vient de mourir? Quelqu'un est mort, voilà qu'on le cloue au cercueil ou qu'on tend les draps de la chambre. Il n'y avait ici pourtant que ma femme, les enfants, Rakma et moi.

Une marche lourde ensuite de degré en degré sembla s'attarder sous un faix (Oh! c'est la bière que les hommes sont allés chercher là haut... Il y a quelqu'un dans la bière... Ils passent à présent devant ma porte... Ils vont descendre la bière au salon, sans doute.)

Il crut voir mollir le sévère visage debout près de lui.—(Oh! qu'a-t-elle à s'attendrir ainsi? À qui voue-t-elle sa soudaine pitié?) Il parvenait à remuer les lèvres; mais aussitôt elle les toucha du même geste charitable du bout de ses doigts dont elle lui avait caressé le front.

—Ne cherchez pas à parler, dit-elle, il vaut mieux pour vous dormir.

Maintenant d'autres rumeurs montaient, un bourdonnement de voix très loin, un sourd et long cahotement de roues. (Ce sont les amis devant la porte, c'est le corbillard. Est-ce que les prêtres ne viendront pas procéder, à la levée du corps?)

La Sœur, assise au bord du lit, avait repris son livre d'heures et mussitait une prière avec ferveur. (C'est fini, pensa-t-il, on a fermé la porte; les voitures s'éloignent. Ah! encore une fois ce cri... Qui peut crier ainsi toujours dans la maison? Cela fend les oreilles.) Puis le cri se reculait au fond des chambres, la maison entière mourait dans un tumulaire silence.

—Seigneur, ayez pitié! implora la religieuse.

Mais à peine il perçut cette voix suppliante; il retombait à l'assommement las du sommeil, comme si tout cela aussi n'était que du rêve!

Avec les jours enfin Lépervié retrouvait la parole; il parlait avec difficulté; la voix, hors de ses lèvres, lui faisait l'effet d'une autre voix entendue il y a longtemps. À présent aussi il pouvait remuer les membres et se retourner dans son lit.

Rien n'avait changé dans la chambre; la bonne Sœur passait ses journées auprès de lui, l'aidait à ingérer un peu de nourriture, veillait sous la lampe jusqu'à ce qu'il la remerciât. Du reste de la maison, rarement (ce semblait hors la vie) une rumeur montait, mais cela encore, dans la taciturnité lourde et sans éveil de la maison—(Ah! seraient-ils tous morts, se demandait-il)—ne semblait que du silence parlé et marché par-dessus un plus noir et plus vide silence.

En son total désarroi, hormis des épaves de souvenir sans suites,—(une fille nue en un lit... ils avaient bu... cette religieuse ensuite à son chevet... on avait descendu une bière),—hormis les incohérences du sens mal récupéré après de lamentables et confus naufrages, rien ne surnageait. Une ineffable sensation subsistait uniquement: il était comme un malade (l'était-il réellement?) qui rouvrirait les yeux dans un tiède et affectueux hôpital. Il passe des cercueils... il fleurit des sourires las de bonnes âmes en deuil... on entend très loin se mourir des cloches.

À bout de se travailler sans fruit le cerveau, il interrogea timidement la Sœur:

—Dites-moi, j'avais une femme, des enfants. Où sont-ils?

D'un geste ambigu, elle sembla désigner à la fois le ciel et les chambres de l'étage.

—Et, reprit-il en hésitant, il ne leur est survenu... rien de mal?

—Rien que d'heureux, monsieur, rien que toute créature ne se souhaitât comme le vrai et unique bonheur.

—J'avais cru entendre cependant... Est-ce que, hein? dites, il n'est pas mort quelqu'un dans cette maison?

—Ô ciel, fit-elle en joignant les mains. Mais voyez comme vous parlez à présent! Vos peines vont finir. Vous serez bientôt levé. N'allez pas vous fatiguer trop vite l'esprit. (Elle lui scellait maintenant la bouche avec les doigts.)

—Oui, dit Lépervié en retenant ses doigts et lui souriant, plus tard j'aurai assez de temps pour penser à cela... Et puis, vous êtes là, à quoi bon penser au reste! Je ne veux plus penser, humpff, humpff! qu'à cette petite main dans la mienne... Venez plus près, personne ne le saura...

Une démence, au frôlement de ce corps contre ses draps, tout à coup l'enflammait, il lui tirait le bras sous la couverture.

—Ah! monsieur, le péché! suppliait la pauvre fille en se débattant et s'arrachant du lit.

—Oui, le péché! rognonnait-il en rejetant les couvertures et se découvrant... Hou! Humpff! Viens donc... Regarde... Le péché, oui.

La Sœur, sans se retourner, marcha vers la porte et lui dit tristement:

—Vous oubliez que je suis la servante de Dieu, monsieur.

—Oh! implora-t-il, craignant qu'elle n'ébruitât sa tentative, ne vous en allez pas fâchée, hein! hein!... Je vous jure que je n'avais pas la... chose... tête... à moi. C'est cela, ma maladie. Il y avait ici, voyez-vous, oui, il y avait ici une femme qui a fait de moi... ça, ça... Je vous en prie, ne dites rien à personne... Mon fils (ah! ah! je souffre) me battrait.

—Vous avez raison, dit la Sœur avec humilité en, revenant s'asseoir près de lui et en ouvrant son livre d'heures, les mauvaises pensées étaient de mon côté... Nos yeux ne sont-ils pas faits pour tout voir? Ne nous est-il pas enjoint de tout endurer pour mériter à force de charité notre salut?

—Quel dommage! soupira Lépervié, je la tenais déjà par la gorge... Elle a de petits seins aigus et fermes.

Exalté par ses ferments, sentant s'exaspérer ses vieux désirs incarnés, pour la première fois il se tourmenta rageusement de Rakma. Que faisait-elle pendant qu'il gisait et l'invoquait de ses concupiscences? Ses orteils se recroquaient à l'idée d'être pétri par ses mains; il croyait flairer dans l'air l'odeur de son suint.—Ah! où est-elle ma petite Mama? se lamenta-t-il tout haut en sanglotant. Ah! ta peau, le feu de ta peau!

—Ma sœur, dit une voix, laissez-moi seule avec lui... Je dois aller jusqu'au bout, je dois porter ma croix jusqu'au bout... Il ne faut pas que les paroles honteuses d'un pauvre malade vous offensent... Allez.

En se retournant,—il ne l'avait pas vue entrer dans ce déclin du jour,— Lépervié, que cette voix brusquement réfrigérait, aperçut, debout au pied du lit, un long fantôme noir.

—Ma femme! fit-il en tremblant de tout son corps. Oh! Lydie! oh! oh! Mais non, reprit-il après l'avoir observée. Ce n'est pas ma femme; elle était plus... chose... chose... et n'avait pas ce... ce... ravagé.

—Et pourtant, c'est bien votre femme, dit Mme Lépervié d'un reste de voix en s'avançant d'un pas. Oui, c'est bien ce qui subsiste de votre femme, car elle n'est plus qu'une ombre... Mais, ajouta-t-elle amèrement, il y a encore trop de chair après ces os! il y a encore trop de cheveux blancs sur cette tête! Je ne suis morte qu'au dedans!

—Lydie! bégayait-il avec stupeur en considérant l'horrible maigreur de son visage et de son corps (un spectre, en vérité, un lamentable et pâle spectre aux caves orbites, aux bandeaux décolorés collant à des tempes ravinées).

—De qui parlez-vous? Il y avait ici une femme qui s'appelait de ce nom... Je sais qu'on l'appelait Lydie... À présent c'est la Veuve qu'on l'appelle. Il n'y a plus qu'elle ici... Mais en voilà assez! Paix à moi comme aux autres! Je suis entrée pour vous veiller, je ne suis pas venue pour autre chose.

Il tira sa couverture sur ses yeux, ennuyé, grommelant:

—Je n'ai besoin de personne, je demande qu'on me laisse mourir tranquille... Oh! toujours ses grands airs, pensait-il, cela finira par la rendre insupportable. Mais pourquoi s'habille-t-elle de noir à présent? Il n'y a pas de raison à cela... à moins que...

—Ah! dit-il timidement en la suivant des yeux tandis qu'elle allumait la veilleuse, est-ce que vous ne pourriez pas faire venir les enfants?

—Malheureux! cria aussitôt M^me^ Lépervié... Ah! le malheureux! répéta-t-elle en se parlant à elle-même, ses enfants! Voilà arrivé ce cruel moment! Ensuite elle lui disait avec emportement:—Écoutez... Vos enfants... Eh bien, non, ça ne se peut pas... Voyons, taisez-vous, cela est impossible, vous dis-je.

Mais il s'entêtait.

—Je veux les voir, Guy! Paule! criait-il avec obstination en pleurant et s'agitant.

M^me^ Lépervié porta les deux mains à son cœur.

—Ah! il me tue! Que je meure, mon Dieu!... Mais cessez donc de les appeler! Taisez-vous!... Mon Dieu, faites qu'il se taise!

—Eh bien, dit Lépervié, tout à coup furieux, s'abandonnant à une idée fixe, j'irai,—aïe! han! han!—j'irai.

Elle se jeta sur lui, lutta pour l'obliger à rentrer dans le lit; ensuite, à genoux, elle le suppliait:

—Pas maintenant... Plus tard... Ah! tenez! tout, tout, mais pas cela! (Il était retombé vaincu et continuait à gémir: Paule! Guy!) Que je meure, mon Dieu! il me perce le cœur avec ces noms! Ma Paule! mon adorée Paule! ton nom! ton pauvre bien-aimé nom! Eh! bien, non, s'écria-t-elle en se redressant et lui fermant la bouche, vous aurez beau l'appeler, elle ne viendra pas, elle ne viendra plus, plus, plus!

—Plus! plus! répéta-t-il machinalement, sans comprendre, mais frappé de la sauvage douleur avec laquelle elle lui jetait ce mot.

Il passa la main sur son front.

—Attendez (mais la mémoire encore une fois lui échappait), attendez! Il est arrivé quelque chose... Elle avait la dernière fois une robe rose... Et puis... Ah! c'est fini, je ne sais plus... Mais qui, dites, dites, qui donc, heu! heu! criait si fort dans la maison l'autre jour?

—Quelqu'un criait dans la maison l'autre jour? Ah! ah! qui pouvait bien ainsi crier? (Elle ne s'apercevait pas qu'elle arrachait ses pauvres cheveux blancs). Quelqu'un avait donc encore la force de crier?

—Ah! n'est-ce pas qu'elle est morte, s'écria alors Lépervié orgueilleusement. On me croyait fini. Mais j'ai tout deviné. J'ai entendu les hommes descendre sa bière.

M^me^ Lépervié chancela, s'abattit sur une chaise, et se torturant pour mentir en une suprême charité:

—Vous vous trompez... N'allez pas croire cette chose horrible au moins... Ma fille—(Ah! mon Dieu! donnez-moi la force de mentir encore! pensait-elle)—ma fille était un peu malade seulement... Elle a pris un froid, je l'entends tousser, écoutez!... Maintenant tout est possible... Elle en pourrait mourir.

—Je vous dis, moi, qu'elle est morte, morte! Son cercueil a passé derrière ce seuil... Je ne veux être la dupe de personne.

—Oh! dit-elle en se tordant les mains, il aurait trouvé des larmes pour l'autre! Il n'en a pas eu pour sa fille! Et c'est pour cela que j'essayais de mentir!

—Et... et, gémit Lépervié, de quoi est-elle morte, cette pauvre enfant? Qu'a dit le... le... chose... médecin?

Toute sa chair maternelle se révolta dans un cri:

—Si je vous le disais, si vous pouviez me comprendre, il ne vous resterait plus qu'à vous jeter par la fenêtre! Laissez-moi le silence, laissez-moi m'étourdir par mes larmes! Ah! mon beau lys! Mon divin cygne blanc! Ah! ma douce âme en blanc! Tu n'as pu supporter la souillure, tu ne pouvais vivre avec cette souillure en ton aile!

—Ah! se plaignit Lépervié en se pelotonnant dans ses oreillers, vous me cassez la tête à crier ainsi.

Presque aussitôt le sommeil l'engourdissait. Elle se prit la tête entre les mains et se mit à sangloter longuement:

—Ma Paule! ma Paule! ma Paule! ma Paule! Tu es morte et il vit, celui qui te donna la vie pour ensuite te vouer à la mort! Ah! pitié, Seigneur! Ne m'abandonnez pas! ne m'abandonnez pas! ne me reprenez pas la Foi! ou me reprenez, Seigneur, mon Dieu!

Il ne restait à Lépervié de cette atteinte d'hémiplégie qu'une plus grave perturbation de la mémoire et une paralysie légère du bras gauche. Les laps immédiats, les délais récents s'atténuaient sans répercussion sur son cerveau. À tout bout de champ il était contraint de substituer aux dénominations usuelles des formules parasites et indéterminées, («chose, machin») dont s'empâtait sa langue, à défaut de termes précis. Depuis une semaine il avait quitté le lit, circulait péniblement dans la maison. Un jour il voulut monter à la chambre de Paule et dès le seuil se mit à pousser de petits vagissements plaintifs. Mais la femme de chambre traversait le palier; il courut après elle et lui prit les cuisses. La fille vivement se jeta dans la chambre à coucher de M^me^ Lépervié, en ce moment au salon. Il aperçut le lit, essaya de l'y pousser (mais elle s'évadait vers l'escalier) et ensuite il s'attardait à caresser les draps, allumé, grommelant:—Le lit! Ah! Ah! le lit! la pelisse!

On avait remercié la Sœur. M^me^ Lépervié, malgré d'horribles rancœurs, le veillait elle-même une partie de la nuit.—Ah! le malheureux! disait-elle. Il dort comme si cette maison vivait encore, comme si tout ici n'était deuil et ruines! Après avoir perdu mes enfants, va-t-il m'être octroyé comme un autre enfant qu'il me faudra soigner et nourrir avec les restes de ma maternité? Me faudra-t-il, après tant de désastres, en avoir à la fin pitié, ô Dieu!... Non, non, qu'elle le reprenne plutôt, qu'il cesse d'outrager par sa présence le souvenir de ma chère morte! (Ainsi se parlait cette femme de douleur qui, après avoir mis sa fille au linceul, voyait à présent se rompre le dernier lien filial: Guy, depuis deux semaines, avait quitté la maison.)

À part de tyranniques et passagères irritations (il exigeait constamment la femme de chambre près de lui), Lépervié se montrait soumis. Il passait son temps à dépouiller la volumineuse correspondance qui s'était entassée depuis sa fuite avec Rakma. «C'est curieux, pensait-il en ouvrant des lettres qui lui annonçaient des décès, il me semble que j'ai été moi-même mort tout un temps. Nous vivions alors ensemble, là-bas... montagnes, ciel bleu... nous pigeonnions.» Une manie de classement lui faisait colliger d'inutiles papiers; il découpait dans les revues des images qu'il collait sur des pages d'albums; il amassait avec une ténacité sournoise des timbres-poste. Je les lui porterai, se disait-il, petit à petit repris par la possession antérieure, la sentant s'agiter dans les caries de sa sénilité.

Un bavardage de la femme de chambre enfin l'avait renseigné sur un passé obscur. Une nuit de l'autre mois (quoi! déjà cinq semaines!), des agents de la paix l'avaient trouvé mourant sur le seuil de la maison. Sans doute il était tombé; son sang ruisselait d'une large plaie qui lui fendait la tête.—«Mais pourquoi, se demandait-il, ne suis-je pas retourné chez elle? Quelle fatalité m'a conduit ici? Et quelle chose s'est passée?

—Monsieur avait un peu bu, je crois, dit la fille en riant.

Il était devenu défiant et dissimulé, cachait dans ses poches et ses tiroirs des bouts de journaux patiemment découpés, s'enfermait pour grossièrement imiter aux ciseaux d'ityphalliques emblèmes dont des recueils secrets lui fournissaient le modèle. À mesure qu'il se rétablissait, les anciens prurits se remuaient plus pétulants. Il sentait sa chair s'affriander de lubriques appétences, éprouvait une joie à se regarder obscènement dans un miroir. Toute une nuit il garda dans ses draps un fichu dérobé à la fille qui le servait, s'imaginant y flairer un acide fleur sexuel.

Un soir, Mme Lépervié crut entendre qu'il ouvrait avec précaution sa porte et descendait l'escalier. Cependant elle l'avait vu se mettre au lit et fermer les yeux, comme si le sommeil l'accablait. Elle quitta sa chambre et fit un pas vers le palier. En ce moment la porte de la rue battit dans le linteau. Elle courut à la fenêtre et l'aperçut se traînant le long des maisons.

—Ah! cria-t-elle, cette gueuse l'aura donc jusqu'au bout!

Lépervié, en arrivant, levait les yeux et voyait de la lumière aux fenêtres de leur appartement.

—Elle m'attend! pensa-t-il. Nous allons nous en payer.

Il se glissa dans le couloir; mais, comme il enjambait les premières marches, il s'entendit appeler par la propriétaire de l'immeuble:

—Ah! c'est vous, M. Dulieu! Entrez donc, j'ai quelque chose à vous remettre.

—Est-ce que ma... femme n'est pas chez elle? questionna-t-il, ahuri par cette invitation imprévue.

—Elle est partie en me laissant ce mot pour vous. Mais comme vous voilà fait! s'écria la dame tout à coup en éclairant avec la bougie ce déchet humain dont la peau flaccide, les joues baveuses et faisandées, les prunelles liquéfiées sécrétant un morne regard attestaient de profonds ravages. Il faudra vous soigner, mon cher monsieur... On voit bien que vous sortez de maladie.

—Oui, bégaya Lépervié... maladie... Je venais... Ah! partie?

Elle prenait la lettre dans un tiroir et la lui remettait; mais il claquait de tous ses membres, ses doigts affreusement jouaient des castagnettes. Elle le fit asseoir, alluma une seconde bougie qu'elle posa près de la table; et enfin il parvenait à rompre le cachet.

«Mon cher vieux, lui écrivait Rakma, j'ai beaucoup réfléchi. Je veux redevenir sage et me placer en quelque honnête ménage, comme le vôtre! Nous allons donc cesser de nous voir. Quand ce mot vous arrivera, je serai loin. Il se fait temps d'ailleurs que vous preniez soin de votre santé. Vous aviez bien mauvaise mine l'autre jour, le jour où vous ne rentrâtes plus. Je me plais à croire que Mme Lépervié continuera à vous recueillir dans son giron.

«Ne vous inquiétez de rien; le terme est payé. Quant à la somme dont vous m'avez confié le dépôt, permettez-moi de vous la restituer à peu près intégralement. Je possède, Dieu merci, quelques économies qui me rendent tout emprunt inutile. Vous voudrez bien reconnaître que je n'ai pas été une mauvaise caissière (un jour peut-être finirai-je par là, derrière un guichet).

«Les fonds sont consignés chez votre notaire. Je l'ai prié de vous les remettre à votre prochain passage chez lui. (Entre nous, je vous conseille de lever cette hypothèque.)

«Adieu, mon président chéri, j'ai fait ce que j'ai pu pour vous procurer d'aimables sensations sans rien abdiquer de ma haine des hommes.

R.

«P. S. Guy se refuse à vous offrir ses respects. Je ne compte pas le garder longtemps. Ces jeunes gens, après vous (vous voyez que je ne suis pas ingrate), me paraissent sans saveur.»

—Il est donc avec elle! gémit Lépervié après avoir relu, en l'épelant pour mieux se l'attester, le paragraphe final.

Il n'éprouvait aucune révolte, ne songea pas à les maudire. Éboulé sur sa chaise, le dos mucilagineux et circonflexe, il regardait avec l'atone fixité d'un œil de vieux cacatois relégué—un œil larveux où déjà semblait grouiller l'horrible ver dévorateur,—cette lettre qu'il chiffonnait stupidement entre le tremblement gourd de ses doigts. À la fin, la dame compatissait à son douloir et s'approchait pour lui offrir un verre d'eau. Il l'attira et se mit à pleurer dans ses bras avec de petits cris, des garrulements navrés.

—Han! han! quel malheur! ma petite Rakma... quel malheur! Hou! Aïe! Vous ne savez pas quelle femme c'était... J'étais son petit... ah! oui, petit chien... (Il roulait sa tête maintenant dans ce corsage.) Écoutez, je vous aime bien aussi... Mais ne me battez pas comme ça... ne me tirez pas les pieds...

—Ah ça! s'écria cette femme mai embouchée, allez-vous cesser de me patrouiller ainsi?

Son attendrissement de plus en plus dérivant vers des massages, elle était obligée d'y opposer la résistance de ses soixante ans de vertu avariée. Presque aussitôt le mari, survenant, l'arquepinçait et l'échouait sur le trottoir.

Les jambes floches, les tendons veules et cotonneux, quelque temps cette lamentable vadrouille errait par les rues du populeux quartier à cette heure dévolu aux suprêmes retapes des pierreuses proposant leurs immondes ratas moyennant un tarif en baisse.

—Ah! partie! Fred! Fred! hoquetait-il, sourd à leurs appels, le cœur ravagé par sa peine machinale.

—Ah! partie! ah! ah! Fred... Mama... partie! répétait lâchement le malheureux Lépervié en se dépouillant et s'abandonnant à tourmenter sa chair.

Un agent passa.

FIN

Milton Keynes UK
Ingram Content Group UK Ltd.
UKHW051914031123
431730UK00007B/55